Changer de destin

François Hollande

Changer de destin

ROBERT LAFFONT

© Éditions Robert Laffont, Paris, 2012
ISBN 978-2-221-13117-6

Être soi-même

Je suis candidat à la fonction la plus éminente du pays. Si les Français m'accordent leur confiance, je serai le septième président de la Vᵉ République.

Je n'ai pas pris cette décision à la légère. Elle n'est pas seulement l'aboutissement d'un combat politique mené depuis trente ans, au service de mon parti et de mes concitoyens.

Non, je suis candidat pour changer le destin de la France.

En écrivant ces lignes, je pèse la lourde responsabilité qui est la mienne. Changer le destin de la France ? N'est-ce pas un but inaccessible ? N'est-ce pas une ambition présomptueuse quand tant de contraintes pèsent sur la nation ? N'est-ce pas hors de portée quand tant de mes concitoyens doutent de la politique ? Eh bien non ! La France se trouve à un moment décisif de son histoire. Dix ans de pouvoir conservateur l'ont conduite là où elle en est, c'est-à-dire au bord d'une rupture avec elle-même. Elle doit changer de voie. Entre la fuite en avant dans les excès et le redressement dans la justice, elle doit choisir.

Ma décision

Tout dans ma vie m'a préparé à cette échéance : mes engagements et mes responsabilités, mes réussites et mes épreuves. C'est une longue route, commencée il y a bien longtemps et qui arrive aujourd'hui à son terme. Pour que les Français me fassent confiance, ils doivent davantage me connaître. Ils doivent comprendre pourquoi, il y a trois ans, seul, sans soutien, sans appui, sans fonction nationale, au terme d'une réflexion profonde, j'ai décidé de briguer la présidence.

Ainsi, je veux leur parler franchement, de mon parcours, de notre avenir et, surtout, de mon idée de la France. Comme écrivait Montaigne dans ses *Essais* : « Je veux qu'on m'y voie dans ma façon d'être, simple, naturelle et ordinaire, sans recherche ni artifice : car c'est moi que je peins. » Je me place sous ses auspices, lui qui se voulait un homme normal et qui fit un livre unique, comme j'aspire, en homme normal de la politique, à une responsabilité unique.

Je suis né à Rouen, au milieu de la Normandie historique, élu en Corrèze, au cœur de la France, longtemps chef d'un grand parti, associé au gouvernement de la nation pendant cinq ans et désigné dans une primaire citoyenne par près de trois millions d'électeurs. Une vie politique est une alliance entre une constance et des circonstances. La mienne n'échappe pas à cette règle. J'ai connu des succès et des revers, des élans et des embûches, des ascensions et des chutes. Mais toujours ma conviction m'a affermi, sans bruit et sans outrance, parce que j'ai toujours suivi la ligne que je m'étais fixée, sans jamais douter.

J'ai très tôt choisi de m'engager pour mon pays, peut-être à cause de mes parents qui ont, sans le vouloir, déterminé cette vocation. Mon père parce que ses idées, à l'opposé des miennes, m'obligèrent à construire ma pensée, à affûter mes arguments. Partisan de l'Algérie française, il professait des convictions qui heurtaient celles qui naissaient dans mon esprit. Sans doute est-ce déjà une éducation que d'aller contre celui qu'on aime. Mais au fond je l'en remercie car cette confrontation a aussi forgé mon caractère. Ma mère a rendu cette épreuve plus douce. C'était quelqu'un d'une infinie gentillesse qui aimait faire le bonheur autour d'elle. Elle a fait bien plus que m'élever. Elle m'a donné confiance. Elle m'a soutenu à chaque moment et je lisais dans son regard la fierté qu'elle éprouvait. Ce qui est le plus beau cadeau qu'une mère peut faire à son fils. Elle ne connaîtra pas la suite de cette histoire qui lui doit tant : elle est partie au moment où je prenais ma décision. Parce qu'elle avait l'esprit ouvert et l'âme généreuse, parce qu'elle avait choisi un métier, assistante sociale, qui la mettait au service des autres, elle m'a transmis l'ambition d'être utile.

Adolescent déjà et bien avant d'être citoyen, j'ai fait de la politique ma passion. Les idées me séduisaient, autant que les joutes, les enjeux autant que les polémiques, les mouvements autant que les personnages. Je crois en l'action collective. Je n'aime pas les faux-semblants, les apparences, l'exhibition qui envahit parfois la vie publique. Mais si je garde de la pudeur personnelle, je n'en ai aucune pour assumer mon choix politique.

Ma curiosité s'est révélée à l'heure d'une grande bataille française, celle qui opposait en 1965, lors de la première élection présidentielle au suffrage universel de la Ve République, un inconnu appelé Mitterrand au général de Gaulle. « La liberté face à la gloire », avait dit effrontément François Mitterrand en citant Lamartine. De Gaulle, c'était le rêve de la grandeur, contrarié par une bourgeoisie sur laquelle il s'appuyait à contrecœur. Il dominait une société corsetée, autoritaire, archaïque, que Mai 68 allait bousculer. Les piétons de Mai qui marchaient la tête dans les étoiles l'avaient compris. Leur rêve, c'est aussi le mien. Une société fraternelle et juste, qui respecte l'homme et la nature, qui refuse de faire du calcul égoïste la mesure de toute chose.

Je me suis tourné vers le socialisme, au moment où il se reconstituait dans un parti, alors bien maltraité par les héritiers de Jaurès et de Blum. J'avais dix-sept ans à Épinay, j'ai aspiré tôt à y prendre ma place. En même temps, j'ai franchi une à une, sans l'aide de quiconque, les étapes de la méritocratie française, jusqu'à l'École nationale d'administration, qui était regardée comme le passage obligé pour servir l'État. Comme je voulais aussi comprendre les réalités économiques, j'ai complété cette formation par un diplôme d'HEC. Cette compétence que m'a donnée la République, j'ai voulu la lui rendre en me mettant à son service. Mes valeurs, celles que je défends aujourd'hui, se sont fixées à cette époque. Je suis de la génération Mitterrand. J'en suis fier, même si j'ai parfois pris mes distances. Mon engagement n'a pas varié. Entré tôt dans les combats de la gauche, j'y suis resté fidèle, tout en sachant que sa pérennité suppose un perpétuel renouvellement.

Mais je le confesse aussi, j'ai regardé, avec respect, malgré ma méfiance, le général de Gaulle. Il était l'homme qui avait relevé la France tombée au fond de l'abîme, le Président qui rêvait d'une nation réconciliée autour de la fierté, de l'audace et de l'indépendance, l'homme d'État qui confondait sa personne et le destin national. Autant que la gauche, peut-être plus, c'est la droite qui l'a mis en échec en 1969. Elle ne voulait plus de sa grandeur, qui heurtait ses intérêts. Depuis, l'héritage gaulliste a été dilapidé. Ce qu'il en restait a été jeté par-dessus bord en 2007. Le Général était sorti du commandement militaire intégré de l'OTAN, on y est entré. Il voulait la participation, on l'a oubliée. Il avait dit que la politique de la France ne se faisait pas à la corbeille, on a laissé triompher les marchés financiers.

Pourtant beaucoup de Français demeurent encore sensibles à son sens de l'honneur. Et son souvenir nous est précieux, dans cette période où seuls le sursaut, l'effort, le dépassement peuvent nous aider à surmonter la crise et nous affranchir du pouvoir illégitime de la finance.

Deux aspirations m'habitent depuis longtemps : celle de la représentation et celle de l'action. Elles ne m'ont pas quitté. Encore fallait-il que cette volonté saisisse de grandes occasions. En 1981, jeune auditeur à la Cour des comptes, je participe de près à la campagne présidentielle de François Mitterrand. Victoire historique qui me conduit un temps à l'Élysée après une première candidature législative en Corrèze. Changer la vie... J'ai cru de toutes mes forces à cet avenir meilleur. Quelle émotion fut la mienne au soir du 10 mai 1981 ! Enfin nous allions éprouver nos espérances au dur contact du réel ! Même si elles ne la résument pas, il y a des journées qui justifient une existence. À trente ans de distance, comme

13

approche la prochaine échéance, ce beau souvenir de la fin du dernier siècle nourrit un bel espoir pour celui qui commence.

En 1988, je suis député de Corrèze. Je sais que, désormais, mon destin sera entièrement voué, à travers ma circonscription, à mon pays. En 1997, je deviens premier secrétaire du Parti socialiste, alors qu'une dissolution inattendue nous a conduits à la victoire. J'ai quarante-trois ans, Lionel Jospin est Premier ministre, je suis associé au gouvernement de la France. J'en sais gré à Lionel Jospin : j'ai partagé la rigueur de ses arbitrages, la clarté de ses choix, son respect de l'État. J'ai compris aussi qu'il y a un bonheur à gouverner un pays, mais qu'à tout moment la tragédie guette. C'est le devoir des responsables que de vivre l'un et l'autre avec la tête froide.

En avril 2002, Jean-Marie Le Pen est au second tour et l'homme honnête que je soutiens annonce dignement son retrait de la vie politique. Je n'avais pas anticipé ce résultat mais j'en avais détecté les signes avant-coureurs. La campagne me paraissait désincarnée et l'on faisait faire au candidat tant de choses qu'il ne les maîtrisait plus. Seule restait son hostilité farouche envers Jacques Chirac. Elle ne pouvait suffire à l'adhésion. Je m'en étais ouvert à Lionel Jospin dans une discussion vive. C'était le samedi 20 avril, veille du premier tour. Il m'avait répondu qu'il reverrait tout le dispositif le lundi suivant, pour le second tour. Mais, le lundi suivant, il était éliminé.

Je n'ai pas oublié la leçon.

Je suis ainsi resté seul en scène, me promettant de toute mon âme de ne pas revivre cet effroi, cet accablement. Toute la gauche doit y réfléchir, cette année encore, pour ne pas revivre les affres de la dispersion, pour ne pas voir, dans l'humiliation, droite et extrême droite se disputer le second tour. Le danger n'est pas écarté, au contraire. La désespérance est si grande au sein du peuple qu'il éprouve la tentation de se tourner vers l'extrémisme, pour renverser la table et dire leur fait aux puissants. À ceux qui penchent de ce côté, je témoigne de mon écoute, de ma sollicitude. Je leur dis : si vous parlez intolérance, discrimination, xénophobie, ne comptez pas sur moi. Mais s'il s'agit de faire entrer au cœur du pouvoir la vigilance à l'égard de ceux qui souffrent devant les duretés du quotidien et l'affaiblissement de la patrie, alors je vous entends et je vous tends la main.

15

En 2006, j'ai pensé un moment être candidat à l'élection présidentielle qui s'annonçait. Mais l'échec du référendum européen avait divisé mon parti et m'avait obligé, une fois encore, à le rassembler. Ségolène Royal s'était déclarée. Elle avait la faveur de l'opinion. Je me suis effacé sans aucune réserve, même si nos vies personnelles se séparaient. Elle a fait, avec la force de caractère que je lui connaissais, une campagne courageuse face à un adversaire qui est parvenu, contre toute évidence, à incarner la rupture. À l'heure de la défaite, j'ai ressenti une tristesse personnelle qui entrait en résonnance avec la déception collective. À ce moment-là, je sais que la gauche va entrer dans une période de turbulences. J'en avertis chacun mais je sens que le pire se prépare. Peut-être fallait-il en passer par-là – le sinistre congrès de Reims – pour réussir la suite.

En 2008, je quitte la direction du PS. J'ai mené ce parti à de grandes victoires locales mais, depuis 1995, il a perdu chaque fois l'élection décisive. D'où vient cette malédiction ? Pourquoi la gauche, si forte dans les villes, les départements et les régions, échoue-t-elle dans l'épreuve suprême ? C'est contre cette fatalité que je me suis posé la seule question qui vaille. Pouvais-je être celui qui allait, dans cette circonstance, en terminer avec cette longue et injuste absence de la gauche. Bien sûr, je n'étais pas le seul à pouvoir y prétendre : Dominique Strauss-Kahn qui, plus ou moins secrètement, s'y préparait ; Ségolène Royal, notre candidate en 2007 ; Martine Aubry, notre première secrétaire. Autant de fortes personnalités qui auraient pu m'inciter à la retenue. Eh bien non ! J'ai considéré que j'étais celui qui correspondait à la gravité du moment, à l'aspiration des Français au renouvellement, à la simplicité et à la maîtrise dans l'exercice du pouvoir.

La traversée, non du désert mais du plateau de Millevaches, m'a été précieuse. Elle m'a rapproché de bien des réalités ; elle m'a donné une légitimité, une identité. Je crois aux liens qui rattachent à un territoire. La politique s'incarne.

Pourtant ils n'étaient que quelques-uns, à l'époque, à croire à mes chances ! Une poignée d'amis, un groupe d'élus, le soutien d'un cercle valeureux mais rare. Leur qualité était indiscutable, leur solidarité sans faille. Mais leur nombre... Alors j'ai pris la route, à mon rythme, sans tenir compte des pronostics, des coteries, des commentaires goguenards de ceux qui prévoient tout et qui ne voient rien. Trois ans pour défendre mes idées, trois ans pour entraîner la gauche, trois ans pour rencontrer la France. Les sondages qui me favorisent aujourd'hui me promettaient à l'époque un score à un chiffre. C'est dire si je les regarde avec philosophie ! Peu à peu, d'ailleurs, ils se sont redressés, au point que je suis devenu le rival le plus sérieux d'un candidat qui ne vint jamais, puis, très tôt, le favori de la primaire que j'avais, au départ, regardée avec méfiance, et qui s'est révélée la plus belle initiative démocratique qui soit. Lentement, avec vigilance, les citoyens ont changé le regard qu'ils portaient sur moi. Ce sont eux qui m'ont investi, choisi, désigné. Ce ne fut pas un processus rapide mais une accumulation de signes, d'encouragements, de témoignages. Tous ces gestes, venant de Français anonymes, chaleureux, rencontrés au hasard de mes déplacements, m'ont donné la certitude d'arriver à bonne fin. Enfin l'affection constante de mes enfants a été précieuse dans ces moments délicats. Et Valérie, ma compagne, m'a apporté le soutien, les conseils et surtout le bonheur personnel qui est indispensable pour mener une telle bataille. Si je suis où je suis aujourd'hui, le hasard n'y est pas pour grand-chose.

Mon véritable adversaire

C'est la gravité de la situation qui m'a décidé à me présenter devant les Français. Je savais, dès l'été 2007, que le chef de l'État avait engagé une politique fiscale aussi aventureuse qu'injuste, dont la triste conséquence serait la dégradation de nos comptes publics. Ce qui n'a pas manqué d'arriver. J'avais perçu que la crise dite des « subprimes » déclenchée dès l'été de la même année, sous-estimée par l'équipe au pouvoir, aurait un impact sur l'économie réelle à un moment ou à un autre. Ce fut le cas en 2009 avec la récession, la première depuis 1993. J'avais compris que le plan de relance du gouvernement – après le fameux et fumeux discours de Toulon – était à ce point improvisé qu'il serait d'un coût excessif et d'un rendement médiocre. J'avais surtout prévu le rejet croissant qu'inspirait Nicolas Sarkozy par son comportement, ses foucades, son langage, ses choix, l'injustice de sa politique comme l'extravagance de la protection de son clan, ses bienfaiteurs comme ses obligés.

Je n'avais pas saisi, en revanche, toutes les colères des Français. Je les avais relevées au fil de mes visites. Je me suis gardé de faire écho à la violence de certains propos. Je me souviens d'avoir dû réfréner l'étonnante agressivité d'une dame âgée et discrète, qui n'avait pas de mots assez durs à l'endroit d'un président pour lequel elle avait voté. J'ai préféré jauger l'exaspération, comprendre l'inquiétude, traduire le malaise. Il y a de la souffrance, celle d'un travail dur et mal récompensé ; de l'angoisse quand l'instabilité devient une habitude ; de l'abandon, celui que ressent une population laissée pour compte dans les quartiers où règne la loi du plus fort, où la domination des trafics et des bandes s'est substituée à l'ordre de la République. Partout, j'ai rencontré des Français fiers, opiniâtres, entreprenants, décidés à mener leur vie en citoyens libres et responsables. Mais, partout, j'ai entendu les mêmes questions formulées d'une voix anxieuse. Mes enfants vont-ils trouver un emploi ? Vais-je garder le mien ? Mon école aura-t-elle les postes nécessaires ? Mon commissariat sera-t-il privé de moyens ? Mon commerce va-t-il résister à la concurrence des grandes surfaces ? Mon exploitation agricole sera-t-elle encore viable dans un an ? Devrai-je mettre mon chalutier à la casse, mon tracteur en vente, ma terre aux enchères ? L'État pourra-t-il garantir la qualité des soins et de l'hôpital ? La Poste va-t-elle fermer dans mon village ? Ma retraite sera-t-elle versée ? Pourrai-je financer les études de ma fille ? Pourrai-je aider mon fils à trouver un logement ? Pourquoi mon salaire n'évolue-t-il pas ? Comme si chacun s'était mis à douter. De tout, même de lui-même !

Je n'accable pas le président sortant. Il n'est pas responsable de tout. Ni du passé, ni des contraintes extérieures. Mais il doit acquitter la note des promesses qu'il a faites et dont il savait qu'elles ne seraient pas tenues : laisser croire au retour du plein-emploi, laisser espérer des gains substantiels de pouvoir d'achat pour ceux qui travailleraient davantage, laisser penser à une éradication prochaine de la violence, annoncer des projets qu'il ne voulait pas atteindre : l'État impartial, l'indépendance de la justice, la protection des plus humbles. Dois-je continuer la liste ?

Ce pouvoir n'est pas seulement celui d'un homme, qui subit bien plus qu'il n'agit, qui croit maîtriser ces choses qui le dépassent et qu'il feint d'organiser. Il est lui-même une victime. Celle des marchés et d'un système qui a pris le contrôle des États. Ainsi, mon adversaire dans cette campagne, c'est d'abord le pouvoir de la finance, qui établit ses normes, ses règles – et la première qui est de ne pas en avoir. Aux États-Unis, en dépit des efforts du président Obama, les banquiers, même ceux qui ont conduit parfois leurs établissements à la faillite, ont gardé leur influence. En Grande-Bretagne, la City pèse si lourd qu'elle a convaincu David Cameron de refuser toute réforme financière. En Allemagne, les conservateurs ont bloqué toute solution européenne qui ne correspondait pas à leur modèle.

J'ai dit une fois, dans une phrase trop abrupte, que je n'aimais pas les riches. Rien d'idéologique dans cette remarque trop stigmatisante. Il faut aussi des riches dans une société, s'ils ont mérité leur fortune. C'est l'arrogance des privilégiés qui m'insupporte, leur prétention à dominer, leur volonté de s'imposer aux gouvernements élus. Et leurs émoluments extravagants. Ils sont concentrés dans le monde de la finance. Décidément, j'aime les gens plus que l'argent.

Je suis issu d'un milieu plutôt favorisé. Si

j'ai grandi dans une famille aisée, mes origines ressemblent à celles de beaucoup de Français. Mon grand-père était né dans une petite ferme du Pas-de-Calais, à Plouvain, village martyrisé par deux guerres mondiales. Il descendait de familles de protestants, converties au catholicisme par la suite, fuyant les Pays-Bas en raison des persécutions et qui avaient adopté, par fidélité, le nom de leur pays d'origine. Mon père, à force d'études, était devenu médecin, presque un notable, mais ma mère, assistante sociale, vivait chaque jour au contact des réalités du salariat. Peut-être ai-je gardé de ma filiation cette distance, cette circonspection, que j'éprouve envers ceux qui se croient nés pour diriger. Ce qui me frappe encore dans une certaine droite, c'est sa prétention. Le mérite doit être récompensé, le risque favorisé, l'entreprise encouragée. Les fortunes acquises par le travail et l'investissement sont légitimes. Mais le pouvoir excessif de l'argent doit être combattu. Au fond, il n'est qu'une règle en ce domaine : la justice.

Ce simple mot guidera toute mon action. Si l'on est juste, on peut être ferme, on peut exiger l'effort, refuser la facilité, demander des sacrifices s'ils sont nécessaires. Quand ma présidence sera jugée par les Français, s'ils me donnent leur suffrage, je veux qu'on dise, avec le recul du temps : son quinquennat a été juste. À cette condition seulement, la France se redressera. Voilà ce que la vie m'a enseigné, voilà ce que ma vision du pays me commande. Être juste. Ce parcours a ainsi fixé mes idées.

Il s'agit d'abord de méthode. Le style, c'est l'homme, dit-on. Le style, c'est aussi le président. Je ne me détermine pas par rapport à un autre ou en référence à un modèle. Chaque période appelle un tempérament, un caractère, une manière de faire. Je revendique ce que je suis, y compris pour cette tâche, la plus élevée de toutes. Commander, c'est décider, mais après avoir pris les bons avis, c'est écouter ce qui vient du pays et voir loin. Aujourd'hui, la nation exige de la cohérence, de la constance, de l'humanité et du respect. C'est ainsi que naît l'autorité. À partir d'une « règle d'or », celle qui n'a pas besoin de figurer dans la Constitution et qui s'appelle la confiance.

Mes valeurs

Il n'y a pas de réussite durable en politique qui ne s'appuie sur des valeurs.

La première, c'est *la vérité*. Sans elle, il n'y a pas d'authentique démocratie. Sans le sens des réalités, il n'y a pas de politique qui vaille. Je veux rendre au débat public sa dignité. La situation est trop grave pour que nous puissions nous payer de mots. Trop longtemps les Français ont été abusés par des images trompeuses, des rhétoriques faciles, des incantations mensongères. Je ne serai pas le président des déclarations sans lendemain. Je ne serai pas le président qui viendra vous dire six mois après son élection : mon programme est caduc parce que, finalement, les caisses sont vides. Je ne serai pas le président qui distribue sans compter aux favorisés au début de son mandat, pour appeler à l'effort de tous cinq ans plus tard. Je dirai la vérité, même si elle est difficile à entendre. Non, nous ne pourrons pas tout faire. Non, nous ne pouvons pas tout promettre. Le début sera difficile, il sera marqué par le redressement dans la justice. Ensuite seulement nous pourrons partager les fruits d'une croissance revenue et bâtir patiemment notre projet. Au bout de cette reconquête de notre souveraineté, il y a nos idéaux incarnés. J'aime à citer Pierre Mendès France, qui fut notre professeur d'honnêteté. « Certains, disait-il, redoutent qu'un langage loyal et ferme sur la situation présente n'entraîne le découragement. C'est qu'ils n'ont pas foi dans la volonté et dans l'aptitude de la nation à se redresser. »

La deuxième valeur, c'est *le mérite*. Je dis bien le mérite. La République s'adresse aux talents, aux capacités, au travail qui doivent être récompensés. La société libérale fait l'éloge du risque, mais ses cartes sont truquées. L'égalité des chances, qu'elle proclame à tous vents, est un vain mot. En France, tous en principe sont égaux. Mais désormais certains le sont largement plus que d'autres. Sans cesse les avantages hérités, les réseaux de relations, les privilèges de fortune, faussent le jeu social. Les uns sont favorisés de naissance et les autres sacrifiés pour la même raison. Ma mission sera de rétablir le principe d'égalité sans lequel il n'est pas de république en France. À l'école, à l'université, dans les quartiers, dans l'entreprise ou dans l'administration, partout, tel est le contrat social que je propose. À chacun selon son travail.

La troisième valeur, c'est *la solidarité*. On nous dit qu'elle coûte trop cher, qu'elle n'est que de l'assistance. Eh bien, je le proclame hautement : dans une République du xxie siècle, tous ont une égale dignité. Les faibles, les défavorisés, les oubliés doivent être protégés, défendus et promus. Bien sûr, ils doivent fournir leur part d'effort. Les prestations, les aides, les subventions doivent être subordonnées à la responsabilité de ceux qui les reçoivent. Mais la France n'a pas le droit d'abandonner un seul de ses citoyens. Le réquisitoire lancé par la droite contre l'assistanat, c'est l'autre nom de l'égoïsme. Je ne lui oppose pas la générosité, qui est affaire privée. Mais la cohésion sociale, qui est l'affaire de tous.

Mon projet

Ce reproche qu'on m'a fait avant le lancement de ma campagne – il ne donne pas son programme – n'a aucun sens. Il tombe de lui-même. Il s'agit de proposer une stratégie pour la France, au milieu d'une situation dangereuse et mouvante. J'ai pris le temps de l'élaboration, de la consultation, de l'évaluation. Aujourd'hui, mes décisions sont arrêtées. Si le peuple me donne mandat, je les appliquerai, avec fermeté et constance. La droite dit que mes idées sont floues : c'est un artifice de propagande. Mon plan de salut public une fois exposé, je fais même un pari : beaucoup à droite vont regretter le temps où l'on pensait qu'il était flou !

Le choix est clair. Faut-il s'adapter aux réquisitions de l'empire de l'argent ? Ou bien la France doit-elle trouver sa propre voie dans la mondialisation ? J'ai choisi.

Un projet précis, complet, rigoureusement financé, a été présenté au pays à la fin du mois de janvier[1]. Mais je veux ici expliquer le sens de ma démarche. Elle est tout entière portée par une grande cause, celle de la jeunesse, autour de laquelle les Français, au-delà de leurs conditions, sont prêts à se rassembler.

Pour mener à bien ce projet, nous devons poursuivre quatre objectifs : le redressement, la justice, la jeunesse, la République.

---

1. Pour consulter le projet en ligne : francoishollande.fr.

Le redressement dans la justice

Pour surmonter la crise financière, nous devons mettre de l'ordre dans nos comptes publics et nous désendetter. Mais ces disciplines n'ont de sens que si, au préalable, nous limitons une fois pour toutes le pouvoir exorbitant de la finance dans notre pays. Bien sûr, nous avons besoin de banques, de compagnies d'assurances, de marchés des capitaux. Néanmoins nous ne pouvons pas tolérer plus longtemps que ce système incontrôlé mette en danger la stabilité de notre crédit, domine l'économie réelle et défie sans cesse le pouvoir démocratique.

Je réformerai profondément le système financier pour le mettre au service du redressement.

Ces mesures ne nous dispenseront pas de faire face aux engagements de l'État. Notre niveau d'endettement est dangereux : il faut le réduire. Laisser filer la dette, c'est se mettre dans la main des marchés et, donc, sacrifier notre souveraineté.

J'honorerai les engagements de la France. J'ai prévu de ramener à 3 % le déficit public à la fin de 2013 et d'atteindre l'équilibre quatre ans plus tard. Ce calendrier rigoureux et réaliste doit rassurer nos créanciers et desserrer l'étau des marchés. Il est impossible d'aller plus vite, sauf à tuer la croissance ; mais il est aussi impossible, sauf à aliéner l'indépendance française, d'échapper à cette obligation.

À une condition essentielle : l'effort doit être juste. La réduction des déficits implique une répartition équitable des contributions. Notre système fiscal doit être réformé, pour que chaque Français fournisse une juste part de l'effort commun.

Je ferai donc contribuer les plus fortunés des Français et je limiterai sévèrement les niches fiscales qui rendent l'impôt trop inégal.

Une fois cette réforme réalisée et l'égalité républicaine devant l'impôt restaurée, pour garantir la stabilité à tous les acteurs économiques, je ne toucherai plus à notre système fiscal pendant le reste de mon mandat.

Ces ressources nouvelles réduiront le déficit, mais elles ne suffiront pas : on ne saurait agir seulement sur les recettes. Nos dépenses publiques doivent être limitées. Personne ne comprendrait que l'État n'applique pas à lui-même ce qu'il demande aux citoyens. La République, ce n'est pas l'extension infinie des dépenses publiques. C'est un État stratège, efficace et économe.

Je supprimerai les dépenses inutiles, nées de la bureaucratie qui guette toutes les organisations. Toute dépense nouvelle sera compensée par une réduction équivalente sur un autre budget et je concentrerai les effectifs et les investissements publics sur l'école, la sécurité, la recherche, l'industrie et la technologie.

Assurés que l'effort est justement réparti, les citoyens retrouveront la confiance dans l'action publique. Ainsi, la voie du redressement sera ouverte.

La production dans la solidarité

Il faudra, dans le même temps, passer à l'offensive. Il n'y aura pas de redressement solide sans un retour à la croissance qui, seule, permettra d'accroître le pouvoir d'achat, de relancer l'emploi et de financer la transition énergétique et la protection sociale. Mais là encore, à la différence des conservateurs, je veillerai à ce que l'effort industriel et technologique soit appuyé sur l'amélioration du sort des ouvriers et des employés et non sur une précarité supplémentaire et une baisse de pouvoir d'achat. Je m'assurerai aussi que les plus gros efforts soient déployés pour produire en France, de manière à lutter efficacement, dans le cadre de l'Europe, contre les délocalisations et la concurrence déloyale.

Je mènerai une politique rigoureuse d'aide aux PME et de réindustrialisation.

La relance de la croissance passe aussi par une modernisation de nos sources d'énergie. La France ne saurait s'en remettre pour sa production d'électricité à la seule énergie nucléaire, abandonnée par de nombreux pays et contestée partout sur la planète. Autant une soudaine « sortie du nucléaire » menacerait une industrie de pointe, affecterait l'emploi et provoquerait une hausse des tarifs de l'électricité, autant il est nécessaire de diversifier nos sources d'énergie.

J'engagerai la réduction de la part du nucléaire dans la production d'électricité de 75 à 50 % à l'horizon 2025, en garantissant la sûreté maximale des réacteurs en fonctionnement. Je favoriserai la montée en puissance des énergies renouvelables.

Mais ces mesures de relance industrielle n'auront pas d'efficacité si nous ne gagnons pas en même temps la confiance des travailleurs. Le redressement économique s'appuiera sur la réduction de la précarité, la protection du pouvoir d'achat et l'extension des droits des salariés. La justice et la solidarité s'exerceront aussi dans le monde du travail.

Changer la vie quotidienne

Dans une société juste, la croissance doit aboutir à l'amélioration de la vie quotidienne des Français. Sans se substituer à la société où naissent tant d'initiatives, l'État doit jouer tout son rôle pour parvenir à cet objectif. Il doit favoriser le logement des Français, qui est leur première préoccupation, leur garantir l'accès à la santé et veiller à la bonne organisation et à l'efficacité des services publics.

Je proposerai d'encadrer les loyers dans les zones les plus sensibles, tout en lançant un grand programme de construction de logements.

Je faciliterai l'accès aux soins, et je soutiendrai l'hôpital public.

Ceux qui ont leur durée de cotisations doivent pouvoir prendre leur retraite à taux plein à 60 ans.

La sécurité des Français, qui ne cesse de se dégrader depuis cinq ans, sera elle aussi l'objet d'une action énergique. Je mettrai en œuvre une nouvelle sécurité de proximité, police de quartier dans nos villes, gendarmerie dans nos campagnes, et je créerai des zones de sécurité prioritaires où seront concentrés davantage de moyens.

La République restaurée

Je rétablirai les principes de la Ve République, en rendant à chacun le rôle qui lui revient.

J'instaurerai l'indépendance réelle de la magistrature en mettant fin à la sujétion des juges envers le gouvernement.

Je mettrai fin à toute tentative d'influencer, d'une manière ou d'une autre, les médias indépendants, de la télévision, de la radio ou de la presse écrite, notamment en abolissant la nomination des responsables de l'audiovisuel public par le président de la République.

J'augmenterai les pouvoirs de contrôle du Parlement, et je réformerai le statut pénal du chef de l'État. Je réduirai la rémunération du président de la République et des ministres de 30 %.

Pour que la France redevienne un pays de respect et d'ouverture, je proposerai d'inscrire les principes fondamentaux de la loi de 1905 sur la laïcité dans la Constitution.

Je mènerai une politique migratoire stable, transparente et digne. Pour les élections locales, j'accorderai le droit de vote aux étrangers résidant légalement en France depuis cinq ans.

La jeunesse au cœur

La jeunesse est la grande sacrifiée de la société française. Précarité, chômage et faiblesse du pouvoir d'achat la frappent tout particulièrement. C'est pourquoi j'ai décidé d'en faire la grande cause de cette élection. Pour la première fois dans notre histoire, la génération qui nous suit risque de vivre plus mal que la nôtre.

Pour restaurer l'égalité des chances à l'école, je lancerai une réforme de notre système scolaire. Je permettrai à un tiers des enfants de moins de trois ans d'être accueillis en maternelle. Je donnerai la priorité à l'acquisition des savoirs fondamentaux et d'un socle commun de connaissances.

Je mettrai en place un prérecrutement des enseignants avant la fin de leurs études. Pour tous, je rétablirai une formation initiale digne de ce nom. Je créerai en cinq ans 60 000 postes supplémentaires dans l'éducation.

Je proposerai un contrat de génération pour permettre l'embauche en CDI de jeunes, accompagnés par un salarié plus expérimenté qui sera ainsi maintenu dans l'emploi jusqu'à son départ à la retraite. Je créerai progressivement 150 000 emplois d'avenir pour faciliter l'insertion des jeunes dans l'emploi, en priorité dans les quartiers difficiles.

Voilà donc, en peu de mots, mon projet.

Je crois en la politique, je crois en la République. La France est un grand pays : elle peut, par la justice, surmonter l'épreuve que lui imposent les dérèglements de la mondialisation. C'est la condition de l'espoir pour les Français. C'est la condition du relèvement de la nation. C'est la condition de la renaissance du rêve français, celui qui permet à la génération qui vient de vivre mieux que nous.

Ainsi j'ai voulu dire d'emblée qui je suis et ce que je veux. Tout cela mérite explication et argumentation : c'est l'objet de ce livre. Les Français y trouveront mon diagnostic, mes idées et mes propositions. Ils y trouveront surtout une volonté : celle de faire de la France un exemple parmi les nations.

La France

La République ne tient pas sa promesse. Les Français le voient, s'en inquiètent et souvent s'en désespèrent. Je l'ai compris d'abord en Corrèze, ce département au cœur de mon pays qui subit la crise avec courage et abnégation. Je connais bien les Corréziens. Ce sont mes électeurs depuis trente ans, souvent mes amis. Ils sont ouverts, tolérants, solidaires et durs à la tâche. Rien ne les décourage, rien ne les intimide. Mais souvent une colère les prend. Devant l'injustice, devant l'arrogance, devant l'indifférence des importants. Une colère que je partage : le sentiment d'une perte de maîtrise de notre destin, d'une incapacité à dominer des forces anonymes, d'une inertie face à l'intolérable, d'une montée vertigineuse des inégalités.

Un monde nouveau de communication, de vitesse et de progrès technologiques nous entoure ; en haut de la société, il n'est question que de gains fabuleux, de profits incroyables, de facilités somptuaires. Combien de fois a-t-on expliqué que l'ouverture, la concurrence, la mobilité seraient les sésames de la réussite collective ? De bons esprits ont prétendu qu'une fois cette économie sans règles admise par la population, chacun en recueillerait les fruits. L'argent qui abondait au sommet de la société devait ensuite ruisseler sur tout un chacun.

Mais pour les Français la vie devient plus dure. Habitués à l'effort, davantage formés qu'autrefois et toujours aussi opiniâtres quand il s'agit de leur avenir, ces chatoyantes phrases sont devenues pour eux des mots creux.

Leur situation, loin de s'améliorer, s'est assombrie, et celle de leurs enfants davantage. Ils suivent avec constance les étapes du mérite républicain, à l'école, au collège, au lycée ou à l'université. Ils n'en tirent aucune garantie, aucune certitude. L'entrée dans la vie professionnelle est devenue plus difficile, plus longue et plus frustrante. Il faut accepter des stages innombrables à peine rémunérés, patienter des années dans des emplois précaires et mal payés, retarder sans cesse la fondation d'une famille, accepter un travail souvent éloigné de sa formation initiale ou de son domicile pour s'établir dans l'existence. L'instabilité emporte tout : l'emploi peut être remis en cause, le salaire menacé, l'épargne écornée, le service public réduit, la région frappée.

Est-ce ainsi que les Français doivent vivre ?

La République, c'est la récompense du mérite. Le travail doit conduire à une vie meilleure. Tel est le contrat qui a été conclu entre la France et les Français. Tel est le contrat qui a été rompu.

Mondialisation heureuse ?

La financiarisation sans précaution, la marchandisation sans limites, la mondialisation sans entraves, ont obscurci l'horizon de la République. L'espoir qui animait l'une après l'autre les générations d'un progrès partagé s'est peu à peu effacé. Certaines élites n'ont pas compris cette souffrance. Je ne veux pas

41

les accabler. Ce serait trop facile et même dangereux. Je me méfie de la stigmatisation. Notre pays est tenté de dresser des échafauds pour supplicier ceux qu'elle a trop longtemps vénérés. Je ne souhaite pas attiser une vindicte que je vois partout contre ceux d'en haut. La France compte des patrons remarquables, des financiers avisés, des dirigeants clairvoyants, des entrepreneurs voués à la réussite de leur entreprise. Une société s'élève par la qualité et le courage de ses premiers de cordée.

Mais trop souvent, en lieu et place d'une légitime ambition, on a vu à l'œuvre la cupidité, l'avidité, la voracité, les gains sans rapport avec la hiérarchie du talent. Et cela dans tous les domaines, finance, communication, sport, show-business... Cette partie de l'élite a été séduite par les miroitements de ce qu'on a appelé, dans une formule qui a vite choqué, la « mondialisation heureuse », qui justifiait tout : le démantèlement des protections pour les plus modestes autant que l'octroi de revenus extravagants. Sous Louis-Philippe, on disait : « Enrichissez-vous ! » Depuis cinq ans, on proclame : « Enrichissons-nous ! » Et pour les autres, on ajoute : « Adaptez-vous ! Ou périssez. » L'individualisme comme seul moyen de sortir de la crise...

Adepte de ces principes nouveaux, le candidat de 2007 a proposé à chacun de « travailler plus pour gagner plus ». Mais la traduction de ce slogan a été une réforme des impôts qui a multiplié les cadeaux aux plus favorisés et réduit en proportion les moyens de l'État. Le bouclier fiscal en a été le malencontreux symbole. Nicolas Sarkozy se voulait le candidat de la rupture. Ce fut la rupture avec l'équité fiscale, avec la solidarité, avec la justice ! L'égalité des chances promise est devenue un vain mot dans une société où les nouveaux féodaux s'arrogent les privilèges de la naissance et de la fortune, où les classes moyennes et les classes populaires, comme jadis le tiers état, supportent l'essentiel des efforts.

Cette politique aurait pu avoir une excuse si elle avait fonctionné. Or si l'on a dit : « Travaillez plus ! », on n'a rien produit... de plus. La croissance française depuis cinq ans est l'une des plus médiocres en Europe. Le déficit extérieur atteint des niveaux records. Le pouvoir d'achat stagne pour toutes les catégories. Le chômage a atteint son niveau le plus élevé depuis douze ans. La France est à la traîne.

La droite, c'est la dette

« C'est la crise, dit-il, j'ai fait ce que j'ai pu. Je n'ai pas réussi, mais j'ai essayé. » J'entends déjà la ritournelle du nouveau candidat qu'est le président sortant. Mais qu'a-t-il vraiment tenté ? Des réformes incohérentes, une agitation souvent vaine, accompagnées d'un discours qui a divisé les Français au lieu de les rassembler dans l'effort. Encore aujourd'hui, ses annonces de dernière heure tiennent davantage de la fuite en avant que du courage dans l'adversité. Pour mieux justifier ses échecs il incrimine la gestion de ses prédécesseurs. Il n'hésite pas à remonter à 1981. Il dénonce les déficits accumulés qui ont gêné son action et menacent la stabilité du système financier.

Mais qui a créé cette dette ? Le paquet fiscal et les largesses qui ont suivi ont fait perdre à l'État 75 milliards d'euros par an. L'erreur de 2007 nous poursuit. À l'heure du drame financier, ce sont autant de moyens qui manquent au budget. Tous les spécialistes le reconnaissent : la politique menée depuis 2007 est, pour moitié au moins, dans le creusement des déficits et, donc, dans le gonflement extravagant de la dette. Un seul chiffre dit tout, que chacun peut constater en prenant le recul de l'Histoire. Le record d'endettement toutes catégories jamais enregistré en France, c'est le président sortant qui le détient. Cinq cents milliards de plus entre 2007 et 2012 !

Et si je prends la dernière décennie, c'est un doublement de l'endettement public qui aura été constaté. Il sera passé de 900 milliards en 2002 à plus de 1 800 milliards à la fin de 2012. La majorité actuelle a autant emprunté en notre nom, depuis 2002, que tous ses prédécesseurs pendant deux siècles ! La trace que laissera Nicolas Sarkozy dans l'Histoire, ce n'est pas une trace. C'est une dette.

Et ce président viendrait nous donner des leçons de gestion ! Les dépensiers dénoncent la dépense, les inconséquents stigmatisent l'inconséquence, les prodigues fustigent la prodigalité. La droite est une cigale à la voix de fourmi. Elle gaspille tant et plus, distribue aux plus favorisés ce que le Trésor public n'a plus, et appelle aux sacrifices quand elle est aux abois, accusant la gauche d'imprévoyance. Faut-il le rappeler ? Quand Lionel Jospin quitte Matignon en avril 2002, les déficits publics sont inférieurs à 3 % du PIB, les comptes sociaux sont à l'équilibre et la balance extérieure excédentaire.

La crise explique tout cela, nous dit-on. Bien sûr, en partie. Qui peut le nier ? Mais la vérité oblige à dire qu'elle a surgi à la fin de 2008. Bien des décisions avaient été prises avant, notamment sur le plan budgétaire. La relance décidée en 2009 a été inutilement coûteuse car mal conçue et improvisée. Le grand emprunt a été pour une large part stérilisé et la reprise de 2010 a été inférieure de moitié à celle constatée en Allemagne. L'emploi n'en a guère profité, le gouvernement ayant préféré subventionner les heures supplémentaires plutôt que les embauches. Et puis, au fond, d'où vient la crise ? Sinon d'un cours suivi depuis longtemps, à l'échelle mondiale.

L'empire de l'argent

Cette politique, en effet, vient de loin. Elle est soutenue par des forces puissantes qui agissent dans la durée. Elle a commencé il y a plus de trente ans, en Grande-Bretagne et aux États-Unis, avant de toucher la vieille Europe. On l'a appelée la « révolution conservatrice ». Au début des années 1980, partout les mêmes mots d'ordre s'imposaient. Moins d'État, moins d'impôts, moins de régulation, moins d'égalité, moins de solidarité. Laissons les riches s'enrichir, disait-on, les pauvres en profiteront. Laissons le marché tout régenter, l'économie en sera vivifiée. Laissons la concurrence s'exercer partout, l'innovation en sera favorisée. Laissons les marchandises circuler, le consommateur en sera le bénéficiaire. Laissons l'argent tout envahir, il finira bien par se répandre à tous les échelons de la société. La gauche a été impressionnée par ce bouleversement. Une société plus individualiste, plus concurrentielle, plus dure et plus clinquante, où les frontières s'effaçaient, où les médications classiques semblaient vaines, a pris à revers les valeurs les mieux établies du mouvement progressiste. La gauche a fini par douter d'elle-même. Elle a alors fait le choix de la belle aventure européenne, espérant trouver là une assise plus solide pour conjurer la menace, puisque les socialistes européens étaient en position de force. Mais, loin de conjuguer leurs efforts, ceux-ci ont hésité à franchir l'étape fédérale qui aurait permis une nouvelle gouvernance économique et sociale. Résultat, une décennie plus tard, vingt-trois gouvernements sur vingt-sept sont à droite.

J'ai toujours été socialiste. Je me suis inscrit très tôt dans la filiation social-démocrate, la seule à même de conjuguer égalité et liberté : on me tenait pour un candide ou un modéré. Je n'ai pas eu besoin de me déporter d'un côté ou de l'autre, plus ou moins à gauche selon les circonstances. Je suis resté sur ma ligne. Je sais que pour redistribuer il faut produire. Mais je pense profondément que le marché ne peut être livré à lui-même. Et que l'État est plus qu'un garant ou qu'un prestataire de service. Il doit éclairer, investir, imaginer. Et protéger. Mon ancrage corrézien m'a immunisé contre les humeurs, les modes, les vertiges, et contre les cercles ou les milieux parisiens qu'un responsable national fréquente par nécessité.

Nous arrivons au bout du cycle. Les bilans sont dressés. Les faux-semblants se dissipent. Oui, le capitalisme a changé le monde. Nous ne travaillons plus, nous ne pensons plus, nous ne vivons plus comme nous le faisions il y a trente ans. La mondialisation a permis à des millions d'individus de vivre mieux, notamment dans les pays émergents. Mais le monde est aussi plus dur, plus injuste. La multiplication des échanges a permis de grands progrès et causé d'immenses souffrances. Une croissance incontrôlée a abîmé la planète ; l'industrie a raréfié les emplois et installé dans nos pays du Nord un chômage chronique ; la distraction numérisée a concentré les producteurs d'images et d'information en autant d'oligopoles culturels. Les plus démunis ont été rejetés dans la pauvreté. Le gaspillage de la nature menace l'avenir même de notre Terre, qu'on sait désormais finie et si souvent martyrisée. La dérégulation des marchés de l'argent a enfin conduit à un tsunami financier, qui a entraîné à son tour la récession la plus dure qu'on ait connue depuis 1929.

Ainsi, trente ans après, au bout de la révolution conservatrice, la crise s'est installée. Et il faudrait continuer ?

Après celle des dettes bancaires, vient la défaillance des dettes souveraines, l'économie réelle en porte les stigmates. Même les pays émergents voient leur croissance ralentir. L'austérité se généralise dans tous les États du Nord. Les extrémistes en Europe et en Afrique prospèrent. Les fondamentalistes gagnent du terrain là où les démocrates étaient espérés. La Chine, grande bénéficiaire du nouveau jeu planétaire, est gouvernée par un parti unique qui n'a plus de communiste que le nom. Des monarchies pétrolières rachètent les actifs des pays qui s'offrent imprudemment à leurs largesses. Et il faudrait continuer ?

François Mitterrand, dans un célèbre discours prononcé il y a quarante ans à Épinay, avait dénoncé l'emprise de l'argent. Aujourd'hui c'est son empire qui est en cause. Il s'est emparé de tout. Il était instrument, il est devenu maître.

L'argent, si nécessaire à tout un chacun, mais si nuisible quand il se change en force sociale, en raison abstraite, en pouvoir dominateur. L'argent qui devrait servir l'économie, mais qui devient la mesure de toute chose, l'étalon de la vie humaine. Vous en avez ? Vous avez tout ! Vous n'en avez pas ? Vous ne valez rien ! L'argent, c'est la loi et les prophètes. Je n'ai pas l'illusoire prétention de mettre fin à son pouvoir. Mais d'installer de solides contre-feux : faire prévaloir la production sur la finance, l'entreprise sur la banque, l'investissement sur la rente, le travail sur le capital, la politique sur les marchés, l'intérêt général sur le gain immédiat, le mérite sur le privilège, la promotion sur l'héritage, la dignité sur la cupidité, la justice sur les inégalités, la République sur les intérêts de toute sorte.

Le recul de la France

Comme tous les républicains, je suis patriote. Je me réjouis toujours des succès de la France. Je vis toujours l'humiliation de mon pays comme une blessure, ses échecs ou ses fautes comme des défaites collectives. Ce sentiment, je l'ai éprouvé plusieurs fois au cours des négociations européennes qui ont rythmé la crise financière depuis deux ans.

La minceur des résultats que nous obtenions, les fanfaronnades officielles qui cachaient mal les déconvenues, tout cela m'a fait réfléchir. Moins à la méthode de celui qui nous représentait, mélange de brutalité et de renoncement, plus à la faiblesse de la position française, pour cause de déficits endémiques et de compétitivité étique. J'ai réalisé, pendant cette crise, combien la France s'est laissé distancer dans la compétition impitoyable. Elle a reculé. On peut discuter sans fin du déclin de la France, réalité inquiétante ou formule excessive qui renvoie à la nostalgie d'un âge d'or mythique. Déclin par rapport à qui ? Par rapport à quand ? Le mot est trop lié à une certaine rhétorique réactionnaire pour être utile aux pays. Pour autant, on ne saurait se bercer d'illusions. La France n'est plus la puissance moyenne dont parlait Giscard d'Estaing à la fin des années 1970. Depuis plusieurs années, la France, insensiblement, a décroché.

D'abord à cause de l'injustice. Comment mobiliser les citoyens lorsqu'ils ont le sentiment que le jeu est truqué, les dés pipés, les sacrifices toujours demandés aux mêmes et quand ceux qui les recommandent s'en exonèrent systématiquement ? Tout en fustigeant une France « qui vit au-dessus de ses moyens », la classe dirigeante dispose de moyens placés au-dessus de toute contribution et sans cesse croissants. Ceux qui réclament l'austérité l'excluent pour eux-mêmes. Comment s'étonner que l'adhésion manque ? Une ribambelle d'avantages – retraites chapeaux, parachutes dorés, indemnités diverses, bureau à vie, etc. – éliminent même toute sanction de l'échec. Un salarié dont l'entreprise est en difficulté se retrouve au chômage. Un grand patron dont la gestion échoue se retrouve dans son manoir à vivre de ses rentes.

Je redresserai la France en m'appuyant d'abord sur la justice, sur l'égale participation de chacun, en raison de ses moyens. Sans équité il n'y a pas de réforme possible.

Inégalités folles, croissance molle

La mauvaise répartition des revenus explique aussi la stagnation productive de la France. L'enrichissement extravagant qu'on observe en haut de la société stérilise des ressources financières considérables. La même somme payée à des détenteurs de hauts revenus ou à des salariés n'a pas le même effet économique. Dans le premier cas, cet argent s'investit pour l'essentiel dans la pierre au centre des villes, c'est-à-dire dans la bulle immobilière, ou bien sur les marchés financiers, c'est-à-dire dans la spéculation. Mais une hausse de salaire obtenue par un ouvrier ou un employé est immédiatement dépensée en achats courants, accroissant la demande et favorisant de ce fait la croissance et l'emploi. Les études macro-économiques menées aux États-Unis et en Europe montrent que la confiscation pendant trente ans du surplus de croissance par les plus favorisés des pays du Nord a anémié la consommation et ainsi paralysé l'expansion. Il existe un lien chiffré indiscutable entre le déclin de la production et le désordre dans la répartition, entre une croissance molle et des inégalités folles. La crise financière, produite par l'endettement excessif, n'a pas d'autres causes. Ainsi l'ouverture d'une conférence nationale sur les revenus que j'ai prévue dès après mon élection n'est pas seulement une affaire de justice sociale, pas plus que la mise en œuvre prioritaire d'une vaste réforme fiscale plus redistributive. Il en va aussi de la santé de l'économie et de l'emploi.

La France a été entravée par sa dette. Celui qui emprunte se met à la merci de ses créanciers. Et donc des marchés. En laissant déraper de manière irresponsable les finances publiques, le gouvernement a compromis la position de la France. Je maîtriserai nos déficits, selon un échéancier progressif et soutenable. Mais la dette vient aussi d'un mal plus profond. Si un pays peine à rembourser, c'est qu'il ne produit pas assez. Un taux de croissance aussi faible que le nôtre assèche les rentrées fiscales, rendant le paiement des annuités et des intérêts plus difficile. C'est l'anémie profonde de la production qui explique aussi le déséquilibre que nous vivons, et d'abord celle de la production industrielle.

La classe ouvrière oubliée

Mal préparée à la mondialisation, la France a connu en dix ans une désindustrialisation continue : plus de 700 000 emplois ont été perdus. La part de l'industrie dans la valeur ajoutée est tombée à 13 %, l'équivalent de celle de la Grande-Bretagne. Un air du temps voué aux services, qu'on présentait comme le secteur clé de l'économie, a fait négliger les usines, les innovations et le travail manuel. Longtemps respectée, porteuse d'idéal pour une partie du pays, la classe ouvrière a été pour la même raison repoussée loin des regards. Même si son rôle messianique s'est effacé avec le communisme, c'est pourtant elle qui continue, sous des formes nouvelles, dans des conditions différentes, de fournir la force vive du pays. Tout n'est pas, dans l'économie, que réseaux, communication et produits immatériels. L'Allemagne possède une industrie dont la contribution à la production nationale est le double de la nôtre. L'oubli de la culture technique, la condescendance à l'égard des ingénieurs qu'on jugeait dépassés par la finance et le marketing, l'effacement de la machine comme objet de modernité, ont relégué l'industrie au bas de la hiérarchie des valeurs culturelles. Sans cesse présentée comme un monde dépassé, elle est devenue le parent pauvre de la pensée économique française. Faute de PME exportatrices suffisamment nombreuses, notre commerce extérieur s'est profondément dégradé. Le déficit commercial s'est installé. En 2011, il a atteint des profondeurs abyssales (75 milliards d'euros), seulement comblées par une dépendance supplémentaire à l'égard des marchés de capitaux : le déséquilibre de la balance des paiements est couvert par des placements ou des achats d'actifs provenant de l'extérieur. Bref par un abandon de souveraineté.

L'ouvriérisme était une dérive du socialisme, l'oubli des ouvriers est une dérive du libéralisme. C'est le rôle de la gauche que de réhabiliter le savoir-faire, la culture technique, la conscience laborieuse. L'enseignement technologique, l'alternance, les écoles professionnelles et d'ingénieurs, la promotion des salariés qui commencent au bas de l'échelle, l'attention au monde des ateliers et des laboratoires : autant d'actions décisives pour le redressement du pays et la promotion des valeurs républicaines.

Le patronat incrimine notre manque de

compétitivité. Sans s'interroger sur sa propre responsabilité, il réclame la modération des salaires et l'abaissement des garanties sociales. Bien sûr, les coûts de production entrent en ligne de compte dans la comparaison entre concurrents. Et le financement de notre protection sociale sur le seul travail est un handicap. Je sais aussi que l'excessive rigidité peut favoriser le chômage. L'instauration d'une sécurité sociale professionnelle peut renforcer les protections dues au travailleur mais faciliter en même temps la mobilité de la force de travail, dans un sens bénéfique à l'entreprise. Mais qui peut croire qu'une baisse continue des coûts salariaux – faut-il s'aligner sur la Chine, sur l'Inde ? – serait le remède à notre mal ? Les salaires font aussi la consommation. Le pouvoir d'achat est aussi l'allié de la croissance. Mieux vaut accroître, dans la valeur ajoutée industrielle, la part de l'innovation, de la transformation et de la qualification, en un mot la part de la matière grise. L'Allemagne ne paie pas ses ouvriers plus mal que la France. C'est la culture industrielle, la spécialisation, la qualité, qui font la différence.

Au chômage structurel s'est ajoutée une précarité qui est devenue dans de nombreux secteurs (la distribution ou les soins à la personne...) comme une seconde nature. Les services devaient être l'avenir de l'économie. Ils en deviennent parfois la préhistoire. Trop souvent les rythmes de l'activité, l'éclatement du temps, la dureté des conditions, font de ces employés une main-d'œuvre corvéable et souvent sans statut quand elle relève de la sous-traitance. Les grèves des agents de sûreté des aéroports cet hiver en ont été une nouvelle illustration. C'est la révolte des « inconnus », ceux dont on ne sait de quel employeur ils relèvent. Syndicalisation faible, conventions collectives insuffisantes, concurrence cruelle entre les candidats à l'emploi : une nouvelle forme d'exploitation, moins concentrée, moins visible, moins organisée, s'est disséminée sur le territoire. La souffrance au travail, ce mal du XXIe siècle qui nous ramène au XIXe, frappe d'abord cette nouvelle classe populaire qui forme la grande armée des soutiers de l'économie. Les femmes et les jeunes en composent la majorité, qu'ils soient issus ou non des quartiers sensibles. Eux aussi sont les invisibles de la scène sociale française, tels qu'ils sont décrits avec sensibilité dans l'enquête de Florence Aubenas, *Le Quai de Ouistreham*. Réhabiliter ces travailleurs, exprimer leurs craintes

58

et leurs espoirs, leur assurer une place digne dans la République : ce sera un souci constant de mon quinquennat.

Le retard écologique

L'incertitude et la timidité de la politique d'environnement menée par les gouvernements successifs de la droite ont encore accusé notre retard industriel. Certes, Jacques Chirac a professé une sensibilité incontestable en la matière. Certes, le gouvernement Fillon a convoqué une conférence dénommée « Grenelle de l'Environnement » qui a réuni les principales associations concernées et pris dans la foulée une série de mesures utiles. Mais de l'aveu même des participants à ces discussions, on en est resté sur des points essentiels à un catalogue de bonnes intentions. La taxe carbone, censée devenir l'outil principal de lutte contre le réchauffement climatique, a été abandonnée. Cet oubli des promesses initiales et cette rhétorique creuse ont été résumés de la plus forte manière qui soit par le président de la République lui-même lors d'un Salon de l'agriculture, dans cet aphorisme qui a mérité de passer à la postérité : « L'environnement, ça commence à bien faire ! » On mesure la profondeur de l'engagement présidentiel pour cette cause planétaire. Cette légèreté s'est manifestée de manière encore plus nette lors de la polémique qui a suivi la signature de l'accord entre le PS et nos alliés d'Europe-Écologie, qui servira de référence pour la future représentation nationale. À la différence des Verts, je ne crois pas qu'il soit sage et réaliste de programmer ce qu'il est convenu d'appeler « la sortie du nucléaire ». Nous ne pouvons pas arrêter brutalement les centrales actuelles, sauf à menacer l'emploi et à compromettre l'indépendance énergétique du pays. Nous pouvons encore moins interrompre la construction de l'EPR de Flamanville alors que plusieurs milliards ont déjà été engagés et que cette technologie nouvelle recèle des perspectives utiles. Je me suis engagé à ramener à 50 % de la production d'électricité la part produite par le nucléaire avant 2025 et à développer en proportion les énergies renouvelables. Ni plus ni moins. J'ai donc refusé de signer cet accord tant qu'une ambiguïté subsistait. Ma position a prévalu – j'étais d'ailleurs prêt à une rupture plutôt qu'accepter un accord confus. Je n'ai concédé que ce que j'avais déjà décidé.

Je sais la qualité et la performance de notre industrie nucléaire comme de ceux qui y travaillent. Je suis attaché à l'indépendance énergétique de la France et à la production au meilleur prix de l'électricité, ce qui a longtemps été le cas grâce au nucléaire. Mais, après Fukushima, la France ne saurait faire reposer le plus clair de son approvisionnement sur une seule source. C'est le tout-nucléaire, credo de la droite, qui est aujourd'hui dépassé, c'est le tout-nucléaire qui nous détourne du plein recours aux énergies renouvelables. La préparation de l'avenir commande en parallèle de rechercher une diversification de nos approvisionnements. Cet effort de long terme favorisera le progrès scientifique et technique, autant que le développement industriel. Le « mix énergétique » est une chance. La réduction de la part du nucléaire et le développement rapide des énergies nouvelles placeront les citoyens en position d'exercer le jour venu un vrai choix entre les différentes manières de produire l'électricité. Préparer dès maintenant la transition énergétique : c'est le choix que j'ai fait ; c'est l'intérêt bien compris de la France d'adopter une position pragmatique et ouverte.

Ce qui vaut pour l'énergie vaut pour l'ensemble des questions écologiques. Investir dans un mode de vie protecteur pour la planète, c'est investir dans notre avenir industriel. La préservation de notre environnement n'est pas seulement une manière de ménager la nature. C'est favoriser, par la croissance verte, l'émergence d'une civilisation nouvelle, qui humanise et qui ouvre en même temps des perspectives de développement économique et de création d'emplois. La France ne saurait se tenir à l'écart de ce mouvement, sauf à le payer très cher demain.

Pour un patriotisme industriel

Vouée aux dogmes d'un libre-échange excessif, appliqués de manière pour ainsi dire religieuse, l'Europe a fait preuve d'une candeur coupable sur le marché mondial. Une naïveté ou un calcul, qui conduit dans les deux cas à favoriser les cyniques et à sacrifier les vertueux. En ouvrant toutes grandes ses frontières aux importations sans considération des conditions réelles de production des marchandises concernées, seraient-elles fabriquées au prix d'atteintes inadmissibles à l'environnement, l'Europe et donc la France ont exposé à une concurrence déloyale une partie de son appareil productif.

Bien sûr, les chiffres montrent que ce phénomène n'est pas aussi massif qu'on le dit parfois. Les importations en provenance des pays du Sud ou bien des nations émergentes sont minoritaires dans notre commerce extérieur. Nous nous fournissons pour l'essentiel en Europe et dans les pays du Nord, où nous exportons aussi en priorité. Aux deux tiers, notre commerce extérieur a lieu dans la zone euro. C'est d'ailleurs souligner que notre compétitivité est d'abord dégradée à l'égard de nos plus grands voisins. Mais par sa brutalité, par sa concentration sur certains secteurs ou dans certaines régions déjà frappées par la crise, la concurrence des pays sans protection sociale nous coûte cher. Elle sert aussi de prétexte à une délocalisation qui menace l'équilibre social de villes entières. Les usines ou les entreprises transférées à l'étranger, les ouvertures décidées dans des pays lointains en lieu et place d'implantations françaises ne constituent pas la majorité. Elles sont aussi des justifications liées à la conquête de marchés lointains. Mais leur force symbolique et les ravages sociaux qu'elles peuvent entraîner dans tel ou tel site industriel frappent à juste titre les esprits.

Je suis résolument hostile au protectionnisme. Il renchérirait les prix et casserait à terme la dynamique du commerce mondial. Au détriment de tous. Face au défi de la compétitivité, je propose un pacte productif qui mobilise toutes les forces : entreprises, partenaires sociaux, état et collectivités locales sans oublier le secteur financier. J'ai évoqué le patriotisme industriel. La formule a pu surprendre jusqu'au moment où tous les protagonistes de l'élection présidentielle s'en sont emparés. De façon dangereuse pour l'extrême droite, qui veut fermer les frontières aux hommes comme aux marchandises ; dans une logique d'autarcie, de manière plus surprenante chez le candidat du centre qui a repris l'étiquette accrochée derrière le maillot de notre enfance avec le « made in France ». Sans oublier le candidat sortant qui nous a dit aimer les usines au point de les laisser fermer.

Je regrette cette captation de mots qui conduit à une indifférenciation des programmes pour les électeurs. Je ne me résous pas pourtant à abandonner cette belle idée : fixer des objectifs de long terme pour nos filières d'excellence, engager un effort de recherche publique et privée pour les mettre en avant, mobiliser les financements pour les accompagner, développer les PME innovantes, stabiliser les rapports entre les donneurs d'ordre et les sous-traitants, former les jeunes aux emplois de demain. Bref, conclure un contrat pour l'industrie française.

Nul chauvinisme, nul repli, nulle fermeture dans cette ligne de conduite. Les pays concernés, de toute manière, importent aussi nos produits.

Il ne s'ensuit pas que tout soit permis en matière de commerce international. L'Europe a le droit de mettre en pratique les mesures de bon sens que ses concurrents pratiquent depuis longtemps. Elle a le droit d'exiger des autres ce qu'on exige d'elle : des normes sociales et environnementales minimales, qui bannissent l'exploitation éhontée de la main-d'œuvre des pays plus pauvres et qui préservent le Sud de la planète, qui ne doit pas plus que le Nord être sacrifié à une industrialisation brutale et destructrice.

Faut-il caresser le rêve étrange de s'abstraire de la mondialisation ? Je ne le crois pas. Ce qui est en question, ce n'est pas le phénomène irrésistible qui a changé une fois pour toutes le capitalisme à l'échelle de la planète.

Ce qui est en cause, c'est la place de la France dans la mondialisation.

Voilà pourquoi je propose le redressement dans la justice : pour améliorer le sort de tous les Français, pour rendre son rang à la France.

La République

Au fond, qui sommes-nous ? À cette
question simple, la période que nous vivons
offre des réponses compliquées. Et par leur
complexité même, ces interrogations diffusent
dans le corps social un malaise qui est devenu
un fait politique majeur, que la gauche a trop
longtemps négligé. Plus que jamais dans son
histoire, l'identité de la France, pourtant venue
du fond des siècles et éprouvée par mille aven-
tures, est mise en cause. De cette angoisse, qui
n'est d'ailleurs pas si nouvelle, je tiens le plus
grand compte.

Par l'internationalisation de la culture née
de la profusion des réseaux de distribution de l'information, par l'invasion de signes et d'images

véhiculés par des canaux planétaires, par l'ouverture de l'économie, qui laisse l'idée d'une
société offerte à tout vent, vulnérable et dépen-
dante de décisions prises à l'autre extrémité de
la Terre, par le vertige de la vitesse, qui nous
transporte physiquement en quelques heures
dans des lieux exotiques ou bien qui amène
vers nous les coutumes et les rites les plus
surprenants, par la migration de populations
plus pauvres du sud vers le nord, qui viennent
vivre et travailler chez nous avec leur énergie
et leur culture, les repères traditionnels se
brouillent, les valeurs héritées de temps immé-
moriaux sont défiées, les habitudes sont bous-
culées par des modes de vie différents, les
productions les mieux maîtrisées sont mises en
concurrence avec des savoir-faire bon marché
où nos règles démocratiques apparaissent ina-
daptées à la dimension planétaire des enjeux.

« On ne se sent plus chez nous »

Contrairement à ce qui se dit trop facilement, ce malaise ne conduit pas forcément
les Français tout droit dans les bras du nationalisme ou du populisme antirépublicain. Mais
pour avoir si souvent évoqué cette crainte avec

ceux que je rencontre, je le dis avec tranquillité : je comprends leur préoccupation. Ceux qui s'inquiètent pour l'identité de la France ne sont pas forcément extrémistes.

Ceux qui s'interrogent sur l'avenir du vivre-ensemble dans la nation sont des républicains. Ils aiment la France et croient à sa singularité, à sa personnalité, à la force de sa voix. Et ceux qui me lisent en haussant les épaules devraient davantage sillonner la France et ses quartiers.

Dans certains territoires, la délocalisation, cette forme d'aliénation de la production nationale, provoque des drames sociaux poignants. L'américanisation des modes de vie, si sensible à travers les émissions de téléréalité, crée le sentiment d'une perte de sens, d'une imitation plate de coutumes faites pour d'autres que nous, respectables, certes, mais guère supérieures, même si on a la plus grande admiration pour la créativité venue de l'autre côté de l'Atlantique. La circulation instantanée de l'information, si prodigue en savoirs nouveaux, entraîne aussi, et trop souvent, notre culture nationale dans un maelström confus de distractions faciles d'où il ne sort pas grand-chose d'utile ni de fécond. On maîtrise mieux ce que l'on connaît et il est plus aisé de réfléchir à partir d'une langue et d'un style que l'on utilise tous les jours, en fonction de références qui nous ont été transmises par l'école de la République. J'ai toujours préféré, pour me plonger dans la culture populaire, *Les Misérables* à « Loft Story », et pour comprendre l'alchimie des sentiments *Madame Bovary* à *Desperate Housewives*. Le patrimoine culturel français, ses œuvres et ses créations nouvelles, en d'autres termes, méritent plus qu'un hommage, un partage.

L'immigration, par sa concentration dans des quartiers modestes, pose mille problèmes que les élus de ces communes connaissent par cœur et dont ils m'ont souvent entretenu. Leur expérience montre qu'il est, sinon facile, du moins possible, dans une ville, d'intégrer de nombreux jeunes nés de parents venus d'ailleurs. Mais comment y parvenir quand ces enfants des familles pauvres nouvellement arrivées, ou présentes depuis longtemps, affligés de tant de handicaps culturels et sociaux sont affectés dans les mêmes établissements ?

« On ne se sent plus chez nous », a dit cyniquement un jour l'actuel ministre de l'Intérieur comme pour instrumentaliser le désarroi de ceux qui sont confrontés à cette cohabitation et qui se sentent abandonnés. Je déplore cette facilité de langage car elle vient d'en haut, mais j'entends aussi la plainte de ceux qui sont restés, par obligation ou par attachement, dans des quartiers qu'ils ne reconnaissent plus. Comment les blâmer ? Et comment ne pas voir, malgré les efforts considérables dispensés par les municipalités concernées, que les familles les mieux disposées, quelles que soient leurs origines, dès qu'elles en ont les moyens, prennent la fuite dans d'autres lieux réputés moins difficiles ? Il est facile d'ignorer ces dilemmes quand on réside au centre des villes. Il est commode de ranger ces colères dans la rubrique des pensées dangereuses, des réminiscences « nauséabondes ». J'ai rencontré ces Français, venus d'ici ou d'ailleurs, qui vivent avec difficulté ce sentiment de ne plus maîtriser leur environnement, de se retrouver relégués dans leur quartier. Chaque fois, j'ai dénoncé une politique du logement qui fait bien peu de cas de la mixité sociale, j'ai contesté un urbanisme qui produit des ghettos dans la République. J'ai affirmé l'urgence d'un effort éducatif considérable dans les quartiers pour une mobilité effective de la population. Et, à l'inverse, quand j'ai rencontré dans un train ce jeune homme volubile, intelligent, né dans notre pays, et donc citoyen doté des mêmes droits que les autres, qui me lançait comme un défi cette phrase : « Je ne me sens pas français quand la France me rejette », je lui ai répondu qu'il n'avait pas le droit de renier sa qualité, que la France l'avait accueilli, lui et sa famille, et qu'il devait la respecter, qu'ici c'était chez lui ! Et qu'il devait être fier d'être français : c'est un beau nom pour un citoyen du monde ! Mon sang n'avait fait qu'un tour et je lui ai administré, cordialement, une leçon de civisme. Je le ferai chaque fois que cela sera nécessaire avec ces jeunes en révolte ou en rupture, comme j'expliquerai aux citoyens inquiets de l'immigration que les enfants d'étrangers sont français et qu'ils ont les mêmes droits que tout un chacun.

Mais devant tant de crainte, tant de tracas quotidiens, tant d'inquiétude, il arrive un moment où le rappel aux principes ne suffit plus. Il faut à ces difficultés tangibles des réponses concrètes, conformes à la tradition républicaine, c'est-à-dire réalistes et fermes. Ma présidence aura le souci de la citoyenneté et de l'attachement à la France.

La place de la nation

Encore faut-il définir l'identité française. La gauche, sur ce point, n'a pas à être embarrassée. Internationaliste, elle se méfie de tout ce qui pourrait ressembler à une définition ethnique, culturelle, a fortiori raciale de la nation, qui serait le terreau d'une nouvelle intolérance, qui donnerait par nature une supériorité à ceux qui sont nés quelque part, au détriment de ceux qui, pour des raisons qu'ils n'ont pas choisies, franchissent les frontières à la recherche d'une vie meilleure. La gauche s'en remet souvent à la définition de Renan, telle qu'on la cite souvent, de manière d'ailleurs incomplète. L'appartenance nationale est un acte volontaire, explique-t-il, qui réunit ceux qui veulent se réunir au sein d'un même territoire et d'un même État. Elle est un « plébiscite de chaque jour », où la naissance n'aurait pas grand-chose à voir et la raison tout à décider. Ainsi l'identité serait strictement politique et juridique. Dès lors qu'on accepte les lois d'un pays, on en est membre à part entière. Habermas, philosophe dans un pays, l'Allemagne, qui a connu plus que d'autres la folie identitaire, parle d'un « patriotisme constitutionnel ». Je me rattache à cette tradition. J'aime la définition de la nationalité donnée par la Convention, cette assemblée qui a fait la France moderne et qui déclare que sont français tous ceux qui chérissent la Déclaration des droits de l'homme, qui défendent la République, qui protègent la veuve et l'orphelin.

Mais je sais qu'elle ne suffit pas. Il y a aussi, dans le sentiment patriotique, cette part d'affection, d'attachement qu'on voue au pays qui vous a vu naître ou qui vous a accueilli, aux coutumes qu'on connaît depuis l'enfance, à la langue qui vous a bercé, dans les chansons et les comptines du premier âge, aux paysages familiers, au mode de vie qu'on aime et qu'on respecte, aux grandes heures de la communauté nationale. Et comment ne pas ressentir cette émotion en France, où la nature est si riche, les villes si prodigues en chefs-d'œuvre de l'art et de l'architecture, où la littérature et la pensée ont élevé l'humanité et éclairé le monde, où le peuple, l'un des premiers sur la Terre, a décidé de prendre son destin en main ? Je l'avoue, j'aime les grandes heures de l'histoire de France. Elle ne commence pas avec la Révolution française. Elle puise loin dans les épreuves traversées par les générations qui nous ont précédés. Ces paysans pauvres, ces marchands inventifs, ces artisans ingénieux, ces premiers ouvriers, ces soldats courageux, quant aux rois, je ne les maudis pas. Il en fut d'incompétents ou de criminels mais enfin les plus sages, à commencer par Henri IV, ont unifié le pays et légué un prestigieux héritage. Moi qui déteste ceux qu'on appelait en 1871 les « Versaillais », qui ont martyrisé la Commune, j'ai approuvé François Mitterrand quand il a réuni à Versailles la première grande conférence internationale de son septennat. C'était une façon de rappeler la continuité de l'État. Et l'ancienneté de la France. Je le comprenais aussi, même si je ne suis pas croyant, quand il se ressourçait dans la spiritualité devant les gisants de la cathédrale de Saint-Denis ou sur la colline de Vézelay. J'aime surtout mes chemins corréziens, ces champs et ces bois, ces églises et ces villages qui me sont, comme écrivait Du Bellay, « une province et bien davantage ». Je défends la laïcité non pas comme une valeur de gauche. Mais comme un cadre juridique et politique qui donne à chacun liberté et protection contre toutes les tentations intolérantes. C'est pourquoi je veux faire de la loi de 1905 une disposition à valeur institutionnelle. Je suis disciple de Jaurès, qui tenait en haute estime le patriotisme et ne l'opposait pas à la fraternité universelle qui doit unir les hommes. On connaît son aphorisme : « Un peu d'internationalisme éloigne de la patrie ; beaucoup d'internationalisme y ramène. Un peu de patriotisme éloigne de l'Internationale ; beaucoup de patriotisme y ramène. » Il faut le méditer. C'est qu'à cette affection pour le pays profond s'est vite mêlée mon admiration pour la République et ses héros, ces géants de l'Histoire qui ont marché avec intrépidité à l'avant-garde de l'humanité. La République, qui est celle de tous les Français, fonde avant tout mon amour de la France.

La droite a voulu que nous discutions, selon ses termes, sur l'injonction du gouvernement et dans les préfectures, de l'identité nationale. Curieuse initiative, soufflée par un transfuge, un de ces déserteurs qui préfèrent la soupe aux principes. Misérable tentative de détournement des peurs françaises. Il n'en est rien sorti. Et le débat fut clos dans le tumulte et la division. Car l'identité de la France, c'est d'abord la République. La République qui protège, qui intègre, qui rassemble. Une République abîmée depuis cinq ans.

Ma République

La République est un combat. Elle nous unit autant qu'elle nous déchire. Elle nous permet, par le mouvement qu'elle imprime, de faire avancer la France. J'admets que chacun y mette sa sensibilité. J'ai mes références. Celle des ouvriers de 1848 qui, déjà, contestaient le pouvoir de l'argent. Celle des communards, qui refusaient la défaite et sont montés à l'assaut du ciel pour connaître l'enfer de la répression. Celle de Bernard Lazare, de la bataille pour l'innocence de Dreyfus, de la lutte pour les grandes lois sur l'école, la liberté de la presse ou la laïcité, pour ces combats civiques qui ont façonné la France. Celle de Jaurès, l'orateur du progrès. Il a levé l'espoir d'une autre société dans tous les cœurs. Il a été assassiné parce qu'il voulait la paix. Celle de Blum quand le Front populaire a mis pour la première fois les socialistes au pouvoir, celle du temps enfin libéré, celle du muguet et des routes ensoleillées, quand les salariés, pour la première fois, ont pu regarder vers la mer et vers le ciel. Ma République, c'est celle de la Résistance. Elle a le visage de De Gaulle. Elle porte les stigmates de Jean Moulin, elle a la force des maquisards qui ont voulu, dès la Libération, fonder une société meilleure. C'est celle des appelés qui ont refusé le putsch des généraux d'Algérie, des manifestants de Charonne et des « indignés » de Mai 68, étudiants et ouvriers, qui ont bousculé la vieille société et changé l'esprit de leurs contemporains.

Ma République, en un mot, c'est celle des citoyens qui cherchent le progrès, la justice et la dignité, des créateurs qui veulent libérer l'esprit, des militants obscurs qui défendent toutes les causes humaines et des entrepreneurs qui œuvrent pour le bien commun. Ma République, c'est encore celle des enfants d'immigrés qui aspirent à une vie dont ils pourraient enfin être fiers. Ils ont leur place parmi nous, dès lors qu'ils respectent nos lois.

Voilà cette histoire qu'il convient de leur faire partager, ce présent qu'il est nécessaire d'apaiser et cet avenir dont nous devons tout faire pour qu'il nous soit commun. Je perçois la différence, pour ne pas dire le gouffre, entre ces valeurs proclamées et la réalité chaque jour ressentie de l'exclusion, de la discrimination, de la ghettoïsation. Bref, de la séparation. Ce qui nous menace, c'est moins une nouvelle révolte des banlieues, comme en 2005, que l'éclatement, la fragmentation, l'enfermement dans des espaces délimités. Bref un conflit de territoires, une géographie de la stratification sociale et ethnique. Aucun citoyen ne doit s'en accommoder. Car cette dérive est mortifère pour la nation. Le sursaut n'est pas qu'économique. Il est civique, d'où l'enjeu de l'école, l'insertion, de l'accompagnement vers l'emploi. D'où également une politique de l'habitat qui doit aller bien au-delà de la trop virtuelle mixité sociale. La République est rassembleuse. Je ne distingue pas entre les Français selon leur sensibilité ou leur vote. Je veux réunir plutôt que séparer, apaiser plutôt que brutaliser. La gauche aurait bien tort de diaboliser ses adversaires, comme s'il fallait congédier ceux qui ne pensent pas comme elle. Chaque fois qu'elle a su se mettre à la hauteur de la France, elle l'a fait avancer. Dans le scrutin qui s'annonce, je n'avance pas masqué. Je suis socialiste. Mon projet l'est aussi. Et mes alliances seront passées avec la gauche et les écologistes. Je ne pratique pas je ne sais quelle triangulation. Et lorsque je parle de De Gaulle, ce n'est pas pour l'annexer. J'en parle pour exprimer le respect dû à celui qui, à un moment dramatique, sauva l'honneur de la France !

Je n'écarte personne pas même les électeurs de Nicolas Sarkozy qui ont cru, en 2007, à la résurrection de la politique et qui ont été cruellement trompés. Je m'adresse à ces Français négligés, abandonnés, angoissés pour eux-mêmes et surtout pour leurs enfants, soucieux de l'avenir de notre pays et qui sont tentés par le vote Front national. Je leur dis : retrouvons ensemble le chemin des valeurs de la République et de notre Histoire qui nous rend fiers.

La gauche, c'est la loi

Ces souvenirs sont les couches successives du récit national. Ils forment un soubassement solide. Reprenons Renan : « Ce qui constitue une nation, ce n'est pas de parler la même langue, ou d'appartenir à un groupe ethnographique commun, c'est d'avoir fait ensemble de grandes choses dans le passé et de vouloir en faire encore dans l'avenir... » Ces choses que les Français ont faites ensemble parlent d'elles-mêmes. Elles sont aveuglantes de force et de gloire. Comme le disait Lamartine dans un discours historique, sur la place de l'Hôtel-de-Ville à Paris, en 1848, le drapeau français a fait le tour de l'Europe, il a répandu chez tous les peuples l'idée de la liberté et de l'égalité. Un tel passé commande aussi l'avenir : je ne suis pas inquiet pour l'identité française. Elle est mouvante par sa composition, elle se renouvelle à chaque époque par les apports de ces hommes et de ces femmes qui nous rejoignent et participent à l'aventure commune. Mais ses principes, depuis la Révolution française, sont fixes. Ils sont inscrits au fronton des mairies et dans le cœur des citoyens. Je vois mal qui pourrait aujourd'hui les remettre soudain en cause. La droite extrême, au fond, n'a pas confiance dans la force de la construction française. Elle la voit comme une œuvre fragile et donnée une fois pour toutes, sans cesse menacée par des minorités qu'on stigmatise, alors que celles-ci veulent avant tout s'intégrer et qu'elles n'ont en rien la puissance ou l'influence qui leur permettrait d'agir sur la majorité.

Encore faut-il rappeler les règles communes. Sans elles pas de contrat social, pas d'intégration. La chose vaut d'abord pour l'entrée sur le territoire français. Je comprends ces femmes et ces hommes qui quittent leur terre natale en quête d'un sort moins misérable. Je réprouve les mesures arbitraires sans cesse ajoutées les unes aux autres par le gouvernement Sarkozy, ces lois de circonstance à la fois dures et peu efficaces qu'on empile pour attraper l'électeur davantage que le clandestin ! Mais j'approuve aussi la phrase de Michel Rocard, qu'on évoque souvent, à condition de la citer entièrement : « La France ne peut pas accueillir toute la misère du monde, même si elle doit en prendre sa part. » Aller au-delà, ce serait menacer l'équilibre de nos villes et de notre société. Mon gouvernement traitera ces questions avec l'humanité nécessaire et la fermeté indispensable. Les sans-papiers seront régularisés au cas par cas sur la base de critères et je ferai donc procéder, chaque fois que cela sera nécessaire, aux reconduites à la frontière qui s'imposeront. La gauche, c'est le rejet de l'arbitraire. Mais aussi le refus du laxisme. C'est la loi, toute la loi, rien que la loi.

La République ne reconnaît pas les communautés

Pour s'intégrer, il faut s'intégrer à des valeurs partagées, et non à une entité informe, ou pis être soumis à une procédure tatillonne. Ce qui suppose de comprendre sinon adopter les mœurs françaises, le mode de vie de notre pays, et accepter son héritage, dès lors qu'il respecte toutes les mémoires. Les étrangers présents en France légalement sont nos invités. Cette qualité leur confère les droits sociaux et civils reconnus à tous ceux qui concourent par leur travail et leur intelligence à la marche de la société. Pour cette raison, les socialistes ont proposé, si nous gagnons les deux élections qui viennent, que ces résidents venus d'ailleurs bénéficient aussi du droit de vote aux élections locales. Quant à leurs enfants, notre droit du sol prévoit qu'ils seront français comme les autres Français. Mais à tous, parents et enfants, j'affirme : ces droits nés de nos principes ont pour corollaire des obligations. Chacun a la latitude en France de pratiquer la religion de son choix ou de croire à aucune. À une condition : de respecter ce même droit chez les autres, de laisser les individus, hommes et femmes libres de vivre en bonne intelligence avec leurs collègues et leurs voisins. La réciprocité est à la base de la démocratie. Aussi je combattrai avec énergie, en usant de tous les pouvoirs moraux et légaux qui me seront impartis, toute dérive communautaire, qui enfermerait les individus dans un groupe particulier bientôt fermé et oppressif, qui prétendrait tourner les lois de la République ou les modifier dans son sens, qui diviserait la société française en autant de factions culturelles, ethniques ou religieuses, séparées dans un premier temps, à coup sûr rivales et hostiles par la suite. La République française rejette le modèle communautaire anglo-saxon. Elle se fonde sur la liberté et les responsabilités des individus guidés par la raison. Cette promesse – ou cet avertissement – vaut aussi pour les religions, pour toutes les religions. Nos principes de laïcité ne sont pas négociables. Qu'on se le tienne pour dit. Ils sont la garantie de la liberté de conscience qui bénéficie à tous, qui protège tous les cultes, tout comme ceux qui n'en pratiquent aucun.

Je mets volontairement les choses au net : une partie de l'opinion française pense que l'islam, deuxième religion française désormais par le nombre, n'a pas encore accepté les règles de notre laïcité. Je ne le crois pas. Les musulmans français sont de bons citoyens, qui séparent de facto leur foi et leur conviction civique, comme le font les juifs, les catholiques, les protestants et tant d'autres. Mais si, d'aventure, tel ou tel groupe intégriste s'avisait de vouloir imposer sa volonté à d'autres individus, de s'ériger en lobby pour le compte de courants de pensée hostiles à la liberté, il me trouverait sur sa route. En échange de cette rigueur dans la défense de nos principes, je promets solennellement que les efforts demandés seront payés de retour, que le respect du contrat social par les immigrés et leurs enfants sera accompagné d'une action constante visant à faciliter leur intégration dans la communauté nationale. La République est sévère mais juste. Elle sait montrer sa gratitude envers ceux qui croient en elle et qui se placent sous sa protection. À ceux qui ne croient plus en la France, je dis : La France croit en vous.

Aujourd'hui accablées par une situation économique et sociale dramatique, les cités où la vie est si dure peuvent être demain le creuset des talents français. Une jeunesse active, imaginative, entrepreneuriale ou universitaire, peut émerger peu à peu de ces quartiers déshérités. À condition de leur en fournir les moyens, de lutter avec énergie contre toutes les formes de discrimination, à condition de convier à notre table des hôtes que nous reléguons pour l'instant, trop souvent, hors les murs. Et pour assurer à chaucn un cadre paisible, je crois à la nécessaire présence de la police républicaine. J'estime urgent de lutter avec plus d'intensité contre les trafics, les bandes et les violences. La République a aussi des devoirs à l'égard des victimes, des apeurés, des calfeutrés. Elle doit ramener l'espoir dans ces territoires que l'on prétend perdus !

La culture partout

La France existe aussi par sa culture. Cette approche est décisive à la fois pour la préservation de son patrimoine, pour l'activité de ses créateurs et pour la transmission de ses valeurs aux nouvelles générations. C'est aussi par ce moyen que j'agirai. Le budget de la culture sera entièrement sanctuarisé, pour que le ministère puisse mener à bien ses deux missions : la proximité avec les artistes et l'accès du plus grand nombre aux biens culturels. Ce qui suppose de repenser l'aménagement culturel de la France : il s'agit d'irriguer tous les territoires oubliés, les zones abandonnées de nos régions, les quartiers délaissés de nos grandes villes. C'est ainsi que sera le mieux défendu l'héritage français.

Le sort de la culture se joue aujourd'hui tout autant sur Internet. Je remplacerai la loi Hadopi, qui n'apporte rien aux créateurs et tend surtout à les opposer à leur public, par une loi qui signera l'acte 2 de l'exception culturelle française, élaborée en lien étroit avec tous les professionnels du monde de la culture. Ma proposition repose sur deux idées : développer l'offre culturelle légale sur Internet en simplifiant la gestion des droits et imposer à tous les acteurs de l'économie numérique une contribution au financement de la création artistique. Nous ne parviendrons pas à la juste rétribution de la création immatérielle si nous n'y associons pas ceux qui en profitent le plus directement, c'est-à-dire les fournisseurs d'accès et les fabricants de matériel. Je rappellerai autant de fois que nécessaire que les auteurs doivent être rémunérés pour leurs œuvres. La lutte contre la contrefaçon commerciale sera donc maintenue et je veillerai à faire respecter le droit moral, pilier des droits d'auteur, et la chronologie des médias, indispensable à l'équilibre du secteur. La numérisation des biens littéraires et artistiques constituera un dossier important du prochain quinquennat, parce que ce sera un facteur de croissance et d'émergence d'un nouveau modèle économique. Je proposerai enfin un plan national d'éducation artistique, piloté par une instance interministérielle, doté d'un budget propre, et rattaché au Premier ministre. L'histoire de l'art deviendra une discipline à part entière, avec ses propres concours de recrutement.

La France est forte et rayonnante quand sa culture est capable de s'ouvrir aux autres. Il m'est insupportable de constater que la politique des visas du ministère de l'Intérieur aboutit à ce que des artistes ne puissent plus venir en France pour jouer, manifester, créer.

Ainsi, au fond, je veux parler à la France inquiète, à celle qui perd confiance en elle-même, à celle qui se sent aspirée dans un tourbillon, celui de la mondialisation, de la confusion, de l'isolement. À cette France je veux dire : Redressons-nous. Élevons-nous. Nous sommes un grand pays. Souvent la France s'est retrouvée au premier rang des nations, elle a donné l'exemple. Ce temps peut revenir. Nous avons un avenir. Dans ce monde bouleversé et menaçant, nous avons notre chance. Si nous récusons la division, si nous choisissons un gouvernement qui sera ferme, juste et cohérent et non brutal, cynique ou désinvolte. Si le sursaut se produit, alors nous pourrons faire du rêve français une perspective pour la génération qui vient !

L'Europe

Ma génération est européenne, pour ainsi dire de naissance. Le cœur autant que la raison ont développé mon attachement à l'Europe comme idéal.

Dans les années 1950 et 1960, aux temps incertains de ma jeunesse, il était entendu que nous devions à tout prix unir ce continent ravagé par l'Histoire, que les Européens mettaient toute leur énergie à reconstruire. Le souvenir de la guerre que nos parents avaient faite ou subie, la révélation de l'incroyable barbarie née d'une des nations les plus civilisées au monde, le souvenir vif des idéaux de la Résistance, l'impératif absolu du « plus jamais ça » après la découverte, dans toute sa dimension, du génocide des juifs d'Europe, tout concourait à créer l'Union qui garantirait une fois pour toutes la paix et la coopération entre ces pays qui n'avaient cessé de se faire querelle depuis leur fondation, dans une guerre civile européenne dont le second conflit mondial était la sinistre apothéose.

Militant de l'Europe

Aussi bien notre insouciance des frontières, notre désir de découvrir le monde et d'abord notre continent, notre amour de la musique qui était la langue internationale de notre génération, tous ces mouvements nous faisaient envisager avec faveur la réunion de notre vieille nation avec ses voisines, dans un ensemble à la fois économique et culturel. Je voyais aussi, comme beaucoup d'autres, l'Europe prolonger par sa force économique et son rayonnement politique l'influence particulière de la France. Je pensais qu'une Europe-puissance, telle qu'on la concevait chez nous, nous rehausserait sur la scène internationale et nous permettrait de porter haut le message progressiste que j'attribuais à la culture politique française.

Enfin, selon les vœux des fondateurs, je concevais l'Europe comme un gage de prospérité économique et de protection sociale, dès lors que l'on persévérerait dans la voie ouverte par le traité de Rome, qui n'est pas seulement un traité de libre-échange, comme on le pense aujourd'hui, mais aussi un pacte d'action commune pour l'agriculture, le développement territorial, la culture. D'ailleurs, l'Europe est, pour partie, l'œuvre des socialistes européens, alliés avec les chrétiens-démocrates dans l'idée d'édifier cette construction originale dans l'Histoire, l'unification d'un continent entier. Ainsi j'ai toujours eu une certaine idée de l'Europe, volontaire, active, solidaire, protectrice, décidée à jouer tout son rôle dans le concert mondial.

C'est ainsi que j'ai compris l'engagement de François Mitterrand en faveur de la monnaie unique. Il voulait arrimer la nouvelle Allemagne à un projet plus grand qu'elle. Il avait perçu la disponibilité de notre grand voisin d'abandonner le mark au bénéfice d'une monnaie aussi solide dont il acceptait de partager la gouvernance à condition d'installer une banque centrale indépendante. C'était le premier malentendu de Maastricht. Dans le même temps j'ai suivi la démarche de Jacques Delors à la

93

tête de la Commission européenne jusqu'à la fin de 1994. Il avait conçu un grand marché mais nous avait prévenus : la concurrence ne pouvait servir de projet politique. Et la Commission, qui devait procéder davantage du Parlement européen que des États, devait disposer d'une autorité renforcée. Ce ne fut pas le cas. D'où le second malentendu.

Ensuite, ce fut l'emballement. D'abord l'effondrement du mur de Berlin – événement heureux s'il en fut – a bouleversé également les fondements de l'Union européenne. Elle ne pouvait plus être un ensemble de pays prospères dont Yalta avait garanti la liberté au détriment d'autres. Elle était politiquement, humainement, moralement conduite à épouser les frontières du grand continent. La Grande-Bretagne a vu immédiatement son intérêt : en changeant de dimension, l'Europe changeait de sens. Elle se diluait, elle n'était plus une aventure humaine conduisant à une fédération d'États. Elle était une mécanique de marché, conjuguée à un espace de droit.

L'Allemagne, sans revenir sur son lien privilégié avec la France, a saisi l'opportunité d'arrimer à son modèle des États qui ne demandaient qu'à se mettre sous son influence économique. La France a cru, de bonne foi, que l'élargissement consolidait le processus communautaire et qu'elle pourrait encore rêver d'en prendre la tête dès lors qu'elle était la seule puissance politique indépendante. Cela a été une illusion. Elle aurait dû avancer fermement le schéma d'une Europe en cercles concentriques avec un noyau dur économique et des intégrations graduelles. La zone euro correspondait à cette version dès lors qu'elle restait limitée à quelques pays homogènes sur le plan économique. Mais de peur d'un euro fort, et par esprit de solidarité, nous avons en 1997 accueilli les pays du Sud (Italie, Espagne, Portugal, Grèce), ceux-là mêmes qui se révéleront vulnérables dix ans plus tard. Par crainte d'une Europe trop fédérale nous avons, en 1994, refusé la proposition allemande de Wolfgang Schaüble puis en 1999 celle de Joschka Fischer, qui allait vers une Europe plus intégrée sur le plan politique. Résultat de nos hésitations, nous nous sommes lancés dans la révision des traités. Comme si la rénovation d'un cadre institutionnel pouvait nous dispenser d'une volonté d'avancer à quelques-uns sur des projets communs. À ne pas nous mettre à l'ouvrage, nous avons déroulé la pelote. Pis, perdu le fil !

Comprendre le « non »

J'ai vécu avec douleur le débat sur le traité constitutionnel européen. J'ai fait campagne pour le « oui ». Je regardais le texte comme un progrès institutionnel, ou à tout le moins, comme une tentative de renforcer la gouvernance de l'Europe avec un président du Conseil européen, un ministre des Affaires étrangères et une extension des décisions à la majorité qualifiée. Plus de 54 % des Français ont rejeté ce texte, non pas la construction politique de l'Europe mais la conception économique qui la sous-tendait. Je leur parlais gouvernance, droits fondamentaux, politique intérieure commune, ils me répondaient dérégulations, délocalisations, dépossessions. J'ai connu dans ma vie politique – trente ans depuis ma première candidature en Corrèze – des campagnes difficiles : 1986, 1993 et même 2002. Jamais je n'ai ressenti une telle impression de coupure. Nul rejet, sauf celui d'un texte qui consacrait ce que mes propres électeurs jugeaient comme la victoire du libéralisme. Il est des défaites qui éclairent. Celle-là n'a pourtant rien produit de mieux. Le fameux plan B est resté coincé dans un tiroir imaginaire. Et c'est le petit traité de Lisbonne qui a pris sa place. Elle a néanmoins anticipé la crise que nous traversons aujourd'hui. Il n'y a pas d'entité économique, a fortiori monétaire, qui ne puisse durer sans la confiance, l'adhésion, le soutien des peuples. Les marchés s'en sont eux-mêmes fait la leçon. Ils n'auraient pu déstabiliser la zone euro à ce point, s'ils n'avaient eu conscience d'avoir en face d'eux une autorité politique dotée d'une légitimité forte, avec une solidarité continentale à toute épreuve. Ce qui a manqué ce sont des instruments efficaces, et surtout une démocratie vivante.

Je mesure encore davantage, avec le recul, ce que je devinais déjà pendant cette campagne amère où la gauche, socialistes compris, s'est divisée. L'angoisse devant la dérive d'une construction politique qu'on n'avait pas conçue ainsi et qui échappe, sous la pression des marchés, à la volonté explicite des citoyens ; une inquiétude devant la faiblesse des dirigeants européens, qui tardent à se doter des institutions de gouvernance propres à garantir la force et la rapidité des décisions. Je vois l'inertie dont ils font encore preuve devant les attaques violentes du marché. Je perçois le danger. Il est immense. Dans les couches populaires, il encourage partout en Europe le repli sur des réflexes nationalistes qui facilitent la dangereuse émergence de ces populismes autoritaires et chauvins qui menacent la santé de nos démocraties. Au sein des élites, on contemple pourtant sans chagrin ce spectacle affligeant, qu'on tient pour secondaire dans le chatoyant mouvement de l'adaptation aux marchés. Les opinions ne rejettent pas l'Europe comme projet. Malgré toutes ses vicissitudes, l'euro, simple monnaie qui ne peut guère faire rêver, garde la confiance des populations, qui veulent avant tout qu'il soit sauvé. Les peuples ne demandent pas la fin de l'Europe. Ils veulent qu'elle les aide et les protège. J'en ai parlé longuement avec Sigmar Gabriel, le président du SPD allemand, avec Luigi Bersani, chef de la gauche italienne, avec Elio Di Rupo, le Premier ministre belge, ou encore avec Jean-Claude Junker, le Premier ministre luxembourgeois, qui est pourtant de tradition chrétienne démocrate. L'Europe ne peut pas continuer longtemps sur cette voie. Elle a besoin de volonté commune de croissance, de coopération scientifique et industrielle, de légitimité démocratique. Elle a besoin de défendre un modèle de société équilibré, où l'autonomie individuelle est accompagnée d'une action collective fondée sur les valeurs des fondateurs, la liberté et la solidarité, qui sont un tout indissociable. Un modèle de société qui nous est cher, qu'une droite européenne plus ouverte pourrait comprendre et accepter, dès lors que nous établirons un rapport de force favorable.

La vraie refondation

Dans une de ces envolées brusques et improvisées dont il s'est fait le champion, le président sortant a soudain plaidé pour une « refondation de l'Europe ». C'est pourtant lui qui a consenti à l'impuissance de l'Union. Sous son mandat, il a ignoré de facto le Parlement européen, seule instance directement élue. Il a privilégié le compromis entre gouvernements, principalement entre les Français et les Allemands, sachant que, dans ce couple moderne, c'est Angela Merkel qui est au volant. Certes la concertation entre gouvernants élus est souvent un passage obligé pour presser l'action. Mais il a volontairement laissé de côté les propositions de la Commission, qui par fonction exprime l'esprit européen, et il a favorisé la nomination aux principaux postes exécutifs de personnalités dont il savait qu'elles ne pourraient faire contrepoids. Il craignait tellement qu'il y ait une autorité forte à la tête de l'Europe, pensant, avec la modestie qui lui sied si bien, être le seul leader possible. On a vu le résultat.

L'Europe doit être refondée, certes. Mais pas sur les principes que le candidat sortant a promus – ou concédés. Mon élection sera l'occasion de faire entendre une voix neuve en Europe.

Je proposerai que soit collectivement mise en place la stratégie de sortie de la crise financière, que la Banque centrale prenne ses responsabilités, que le calendrier de retour à l'équilibre budgétaire tienne compte des impératifs de la croissance. Et que la gouvernance économique commune ne soit pas seulement le syndic des intérêts nationaux mais qu'elle se soucie aussi des équilibres sociaux, d'une harmonisation fiscale et sociale.

Je pèserai du poids du peuple français pour qu'une régulation enfin sérieuse des marchés de l'argent voie le jour, assortie de la création d'une véritable taxe sur les transactions financières.

Je plaiderai enfin pour que les instances

légitimes de l'Union voient leur rôle revalorisé dans la pratique des institutions européennes.

Serai-je entendu ? Je le crois. Dans ce combat, la France ne sera pas seule. Les solutions reçoivent le soutien de courants importants dans la vie intellectuelle et politique du continent. Elles sont conformes à l'esprit des fondateurs de l'Europe et à la lettre du traité de Rome, trop souvent négligé. Elles s'inspirent aussi de méthodes mises en pratique par l'administration Obama dans sa lutte pour l'emploi. Elles sont, enfin, respectueuses de la volonté des peuples, qui sera dans le domaine européen comme dans les autres ma seule boussole.

Voudra-t-on poursuivre dans la voie d'une Europe de marché sans autre garde-fou que les disciplines budgétaires ? Ou bien le bon sens et le respect de l'esprit démocratique finiront-ils par l'emporter ? L'Europe, ses responsables doivent s'en convaincre, ne se fera pas sans les Européens.

Présider

Je connais peu Nicolas Sarkozy. J'ai été élu député la même année que lui en 1988 et plusieurs fois nos chemins se sont croisés, comme parlementaires puis comme chefs de parti. Devenu président, il m'a reçu plusieurs fois à l'Élysée. J'étais alors premier secrétaire du PS. C'était au début de son mandat. Il a vite cessé ses consultations. Il fait en effet partie de ces personnalités qui parlent plus qu'elles n'écoutent. Qui préfèrent les soliloques aux dialogues. Je comprends qu'il se soit lassé de ce qu'il jugeait comme une perte de temps. Il a eu tort. La concertation avec l'opposition est un bon principe de gouvernement.

J'ai débattu à la télévision à quatre reprises avec lui. J'attends la cinquième. Si elle vient, elle sera la plus décisive. J'ai gardé de ces échanges le souvenir d'un homme énergique et vif rempli d'une certitude. La sienne ! Dût-il en changer régulièrement. Il est sûr de son fait, même si les faits le démentent souvent. Il ne parle pas. Il plaide, c'est une rhétorique de l'évidence. Si vous ne l'approuvez pas, vous êtes dans le déni. Il a inventé un style fait de perpétuels mouvements et de dénonciation d'un adversaire chaque fois différent, mais qui relève du même traitement : la stigmatisation. Il ne s'économise guère. Sauf lorsque ses communicants le convainquent que pour « faire président » la retenue est préférable à l'excès. Mais combien d'abus et de transgressions ? Il en est là. La crise l'enfonce et il la saisit comme un ressort. Il découvre bien tard, et l'ampleur de son échec, et les règles de sa charge. Mais il tente la bonne foi, la confession des erreurs, le pardon des offenses. Il croit qu'il suffit de proclamer qu'il a changé pour que le tour soit joué, que les circonstances produisent les rôles et non l'inverse.

Il n'a rien inventé. La droite française a toujours procédé ainsi. Avec aplomb, elle prétend qu'elle est sans idéologie, qu'elle épouse son temps, force son destin, mute en fonction du climat, hésite entre la chenille laborieuse et le papillon étincelant. Cette droite s'invente des plumes non pour se parer mais pour écrire ses discours. Le candidat sortant en a plusieurs : républicaine, quand c'est utile, réactionnaire quand c'est nécessaire, bien-pensante quand c'est fructueux. Il n'a eu de cesse d'occulter son bilan. Il devrait présenter ses excuses plutôt que sa candidature, selon le joli mot de François Mitterrand le jour où Giscard déclara la sienne. Rien ne le contraint. Pas même lui. Et le néocandidat ne sera pas choqué de prononcer sa rupture avec le président qu'il sera encore pour quelques semaines.

Il mise sur l'amnésie. Faire comme s'il n'était responsable de rien. Il compte sur l'expérience. Poursuivre au seul motif qu'il a commencé. Il parie sur la peur. Comment laisser la France dans l'état où il l'a mise ? Et même sur le dénigrement. Qui pourrait avoir l'outrecuidance de lui succéder, lui qui s'est moqué à ce point de ses prédécesseurs !

Il ne m'a pas échappé que la campagne qui s'annonce sera rude. Les coups déjà ne manquent pas et les fiches élaborées en haut lieu sont répétées avec célérité par des éminences inquiètes de perdre leur hochet après dix ans de droite au pouvoir.

Rarement on a mis tant d'originalité à défendre des idées si banales. On a allié tant d'assurance à tant d'improvisation. On a conjugué tant d'affirmations péremptoires avec tant d'inconstance dans les positions. Sa politique a fait perdre beaucoup de temps à la France. Ses réformes ont été aussi nombreuses que contradictoires. Il n'a pas préparé le pays aux épreuves qu'il traverse. Il a aggravé les inégalités et cédé devant les marchés malgré ses dénégations. Trop de mots, pas assez d'actes. Le résultat est connu : un gouvernement amoindri, un Parlement négligé, une justice asservie, une police amputée, des médias contrôlés. Encore une fois, il prétend qu'il a changé. Il change tout le temps. Il faut le prendre au mot. C'est le président sortant qu'il faut changer !

Éloge de la politique

La défiance s'est installée à un niveau rarement atteint : conscience que beaucoup de choses ne se décident plus ici ou que toute promesse est suspecte.

Tout s'ajoute. Le doute à l'égard des personnes, la crainte devant la puissance de l'argent, le sentiment que la réalité a fini par avoir raison de l'idéal. En ce sens, l'élection de 2007 et les déconvenues qui ont suivi conduisent à ce changement de présidence. Décider pour décider. Si seulement ça marchait ainsi. S'il suffisait de trancher pour que le pays avance. Le coup de menton est souvent un coup de bluff. Un poing sur la table ne l'a jamais fait avancer. Ce qui compte c'est la constance, la cohérence, la crédibilité au service d'une vision longue et d'une perspective lisible.

À quoi bon gouverner si ce n'est pas pour changer les choses ? Premier secrétaire du PS pendant la mandature Jospin, j'étais associé à tous les actes importants de gouvernement. Chacun d'entre eux était précédé d'un tête-à-tête avec le Premier ministre. La décision est toujours solitaire. Mais conseiller, dans ces conditions, c'était aussi agir. Il me revenait d'endosser la responsabilité de la politique menée, en assumant les risques. J'ai épaulé Lionel Jospin dans les bons jours comme dans les mauvais, qui furent rétrospectivement beaucoup plus rares.

Nous avons bien gouverné, je le crois. Sous notre direction, le pays a connu une croissance forte, un équilibre, un chômage en baisse, de grandes réformes sociales. C'est la campagne présidentielle qui fut mauvaise. Nous pensions qu'un bon bilan suffirait à réunir une majorité. Mais les électeurs se soucient de l'avenir plus que du passé. Pourtant, ces cinq années firent honneur à la gauche et au pays.

J'en ai tiré les leçons nécessaires. Une action bien conduite se fonde d'abord sur des principes solides. J'ai arrêté les miens. D'abord l'obsession du redressement, par l'effort équitable. Ensuite le souci du peuple, des modestes, des laborieux, des valeureux, qui paient toujours pour les erreurs des responsables. La modernisation du pays, ensuite, par le renforcement de l'économie, la cohésion sociale, l'avancée du savoir et de la technologie. Enfin la promotion de la jeunesse, la grande oubliée de la décennie.

Le président ne doit pas être au four et au moulin. Il ne doit pas interférer dans le détail du travail des ministères. Il n'a que faire des jacassements de la rumeur. Mon rôle ne consistera pas à squatter ou à phagocyter par les moyens les plus incongrus, par les annonces les plus factices, les journaux télévisés en remuant l'air volatil de la communication. Ma mission consistera, si les Français en décident, à définir les grands objectifs et à m'y tenir. À dire à la nation la vérité sur sa situation. À mobiliser les énergies du pays pour affronter les défis.

Le président doit garder la maîtrise du temps. Il réagit aux crises mais il ne se complaît pas dans le commentaire de l'actualité. Il a des émotions, pas des emportements, et ne communique pas ses états d'âme ou ses épanchements intimes. Il vaut par ses actes. Ma présidence gardera sa part de retenue. Je connais le poids de la responsabilité. La décision politique est, plus souvent qu'on ne le croit, tragique. « Gouverner, c'est choisir », disait Mendès France. Les décisions, au plus haut niveau de l'État, ne sont jamais faciles. Il y a une ascèse du pouvoir, qui est la condition première du gouvernement des hommes.

Je rétablirai dans toute sa dimension la fonction de Premier ministre. Celui-ci dirige l'action quotidienne et en rend compte devant le Parlement, où il s'appuie sur une majorité issue des élections générales. Je ne me substituerai pas aux ministres, qui exerceront toutes leurs compétences. Il leur reviendra d'annoncer et d'expliquer les décisions de leur département.

Le président préside, le gouvernement gouverne, l'administration administre. À quoi bon être un omniprésident si l'on n'est responsable de rien ? La Constitution prévoit que le gouvernement détermine et conduise la politique de la nation. Je la respecterai : au Premier ministre, cette responsabilité. Au président, les orientations essentielles et l'incarnation du pays. Il revendique les actes de l'équipe au pouvoir. Il en rend compte à la nation. Il écoute le peuple à travers de grands débats et traduit sa volonté, qu'il communique au gouvernement. Il est l'intercesseur des Français et la référence pour chacun. Bref, il est le chef de l'État et le premier des citoyens.

Une exigence : la sécurité

J'exercerai avec toute l'énergie requise les fonctions régaliennes. Y compris la sécurité. S'il est un domaine où le candidat sortant a échoué, c'est bien celui-là. Il avait fait de cette priorité son cheval de bataille. Le cheval est fourbu et la bataille perdue.

En dépit de toutes les déclarations martiales depuis dix ans, la violence a progressé en France. Le chiffre total de la délinquance a légèrement baissé. Mais c'est à la suite de la décrue des infractions liées notamment à une meilleure protection matérielle des automobiles et des habitations. Les agressions contre les personnes, les plus traumatisantes pour les citoyens, ont fait un dangereux bond en avant (plus 20 % en cinq ans). Les attaques de rue se multiplient. Les bandes organisées se sont installées dans de nombreuses cités. Le trafic de drogue est florissant. Les rues de Marseille, pour citer ce seul exemple, retentissent des rafales d'armes de guerre. En l'abreuvant de sarcasmes, le candidat sortant avait supprimé la police de proximité. Il vient de la rétablir sous un autre nom, devant l'ampleur des difficultés qu'il n'a pas su maîtriser. Là encore, du retard a été pris.

Je déplore que la gauche ne soit pas regardée comme la plus efficace pour prendre la mesure de cette plaie sociale. C'est donc à dessein que j'aborde ce problème en face, sans faux-semblant. Depuis la conférence de Villepinte organisée naguère par Lionel Jospin et Jean-Pierre Chevènement, les socialistes ont réformé leur doctrine de sécurité. Ils ont donné tout son sens à cette expression qui figure dans le début de la Déclaration des droits de l'homme et du citoyen : le droit à la sûreté. Il ne s'agit pas seulement de la sûreté à l'égard des pouvoirs. La formule couvre aussi la sûreté des personnes et des biens face à ceux qui s'y attaquent en violant la loi. La montée de l'insécurité frappe en premier lieu les plus défavorisés. Par facilité ou par proximité, les délinquants s'en prennent d'abord à leurs voisins, aux enfants, aux femmes et aux personnes âgées. Les classes aisées, même si la police fait défaut, proviennent tant bien que mal à se protéger par la technologie, par leur retrait dans des quartiers bien surveillés et par le recours de plus en plus fréquent aux officines de sécurité privées. J'ai été effaré d'apprendre il y a quelques années que ces entreprises officieuses employaient plus de salariés qu'il n'y a de vrais policiers en France. Voilà une démission de la République. Voilà une inégalité de plus.

Le ministre de l'Intérieur mènera directement l'action indispensable, avec les moyens nécessaires. Dans le strict respect des garanties de droit, une nouvelle sécurité de proximité sera rétablie dans toute sa dimension ; les moyens des enquêteurs, dont l'action patiente et énergique est bien plus efficace que les déploiements de force à usage médiatique, seront portés à un niveau supérieur ; la répartition des forces de police et de gendarmerie sur le territoire sera modifiée en fonction des zones les plus touchées par la délinquance ; je veillerai personnellement à la mobilisation rapide de toutes les instances locales et départementales autour de l'objectif de la sécurité. Il s'agira bien sûr de prévention. Mais aussi de répression, c'est-à-dire d'une application ferme de la loi, à laquelle toutes les victimes ont droit. La délinquance souvent est liée à la déshérence, au désœuvrement, à l'abandon. Mais la misère n'excuse rien. La plupart des Français les plus modestes respectent les lois. Nous jugerons donc, comme il est de règle dans le droit français, sur la responsabilité individuelle. Face à la délinquance et à la criminalité, la République ne reculera pas. Je rétablirai dans tous les territoires l'ordre et la justice auxquels nos concitoyens aspirent. Avec un suivi des plus jeunes, des établissements adaptés et une justice plus rapide de façon à éviter la récidive

Une démocratie exemplaire

L'exercice de la fonction présidentielle et le retour à une pratique constitutionnelle « normale » supposent, dans le même temps, une revalorisation du rôle du Parlement, qui gagnera en représentativité grâce à l'introduction d'une part de scrutin proportionnel. Les élus contrôleront mieux les actes du gouvernement, par le moyen des commissions parlementaires. Ils détiendront une influence plus grande sur l'ordre du jour et seront appelés à peser de tout leur poids dans la préparation des lois.

Je veux que la France franchisse une nouvelle étape dans la liberté en faveur des territoires. Trop souvent, encore, l'administration centrale exerce sur la vie régionale et locale une influence excessive. La première grande loi de décentralisation de la Ve République, mise en œuvre par François Mitterrand, avait donné le signal d'une révolution tranquille. Depuis, les Français se sont emparés de ces pouvoirs nouveaux pour changer le visage de la France. Partout l'initiative locale, le travail des élus municipaux, départementaux et régionaux, et l'initiative des associations et des citoyens ont stimulé la vie économique, changé l'aspect de nos villes, amélioré les services publics, promu enfin la participation des citoyens qui souhaitent, de plus en plus, se gouverner par eux-mêmes. J'irai plus loin dans cette voie. Les régions et les villes se verront confier de nouvelles responsabilités, accompagnées des transferts de ressources nécessaires, avec une nouvelle fiscalité locale.

Ma présidence se gardera de toute interférence dans le fonctionnement quotidien de la justice, notamment dans les affaires sensibles. Dans le cadre d'une politique judiciaire légitimement fixée par le garde des Sceaux, les juges du parquet et du siège rendront la justice sans intervention de l'exécutif, protégés par un système de nomination qui garantira enfin leur indépendance. La présidence qui était annoncée comme irréprochable est devenue irrespirable, tant les interventions de toute nature et à tous niveaux ont pesé sur le cours des enquêtes judiciaires et policières. Je mettrai fin, une fois pour toutes, à ces dérives destructrices pour la confiance publique et humiliantes pour les magistrats. Nos juges ne souhaitent qu'une chose : qu'on leur donne les moyens de travailler dans la sérénité, sous la protection des principes républicains. Telle sera ma conception. La police sera également respectée, défendue et reconnue sans qu'il y ait besoin de lui faire accomplir des tâches qui ne sont pas les siennes. Elle est au service des citoyens, pas du pouvoir. Elle enquêtera sur les délinquants, pas sur les journalistes ou leurs informateurs.

Ma présidence coupera tout lien de subordination avec les médias. Par la constitution d'un réseau serré de services réciproques, par la nomination directe des responsables de l'audiovisuel public, le pouvoir détient une influence malsaine sur le fonctionnement de nos moyens d'information. Sans parler du contrôle de certains groupes de presse par des industriels dont l'intérêt est lié aux commandes de l'État. Je m'amuse en lisant *Le Figaro*, ce journal qui honorait la pensée modérée, et qui ne sait plus comment récompenser par « l'audace » de ses titres les faveurs de l'Élysée à l'égard des intérêts de son propriétaire. Je mettrai fin, là aussi, à ces archaïsmes. Les Français me connaissent. J'entretiens des relations cordiales avec les journalistes. Mais ceux-ci peuvent en témoigner : jamais je n'ai cherché à peser sur leur travail. Cette ligne de conduite éprouvée me guidera pendant mon quinquennat. Ce sera l'occasion d'instaurer entre pouvoir politique et médias des relations enfin adultes. J'abolirai la nomination directe des responsables de la télévision et de la radio publiques par l'exécutif. Ces chefs d'entreprise devront être recrutés parmi les professionnels reconnus et désignés par une instance dont la composition garantira l'indépendance. Quant aux médias privés, ils vivront leur vie sans que je m'en mêle en quoi que ce soit, sinon pour leur assurer un cadre législatif propice et stable. Il est temps que l'information en France rompe avec des pratiques d'un autre âge. Je n'ai pas vocation à être rédacteur en chef intermittent ou directeur amateur des programmes. Chacun fera son travail d'analyses, de commentaires et d'enquêtes. J'en prendrai ensuite connaissance avec le même intérêt – ou le même agacement... – que tous les citoyens.

L'alternative

Y a-t-il une autre voie ? Y a-t-il place pour une stratégie économique et sociale meilleure qu'aujourd'hui ? C'est la question que la droite française refuse de poser. Pour elle, la réponse est toute trouvée : nous dépensons trop, donc dépensons moins – il fallait y songer ! L'austérité conduira à l'équilibre, l'équilibre rassurera, le marché fera le reste. Il n'y a qu'une politique, et donc qu'un seul candidat. Après la pensée unique, le candidat unique. Arrêtons le débat, dit-il en fait, cessons les arguties, mettons fin aux discussions inutiles. La crise nous dicte notre conduite. L'élection est faite ; une solution s'impose : la même. Et cette injonction aboutit, évidemment, à rejeter dans les ténèbres extérieures quiconque s'oppose à cette fatalité.

Contre la pensée unique

Je veux montrer que cette idée est non seulement malsaine, mais fausse. Qu'il existe une autre issue, plus juste, plus sérieuse et plus efficace. Une voie différente fondée sur d'autres valeurs : le rassemblement, la solidarité, l'encouragement de l'initiative, l'action collective, avec un État stratège fondé sur un pacte productif. Je veux montrer qu'il y a un espoir crédible, possible, authentique.

Je revendique les efforts. Ils seront nécessaires. Nous ne pouvons vivre à crédit. Ni l'État, à travers des déficits excessifs, ni le pays, avec une balance des paiements déséquilibrée, ni les particuliers qui craignent pour leurs fins de mois, ni les entreprises, qui dépendent du bon-vouloir des banques. Je préviens qu'il y aura un ajustement fiscal à consentir. D'où la réforme de nos prélèvements et une mobilisation nationale pour produire mieux et plus. J'avertis que nous n'échapperons pas à la transition énergétique si nous voulons tenir nos engagements et assurer notre indépendance. Je désigne clairement les changements à réaliser : la réforme du système bancaire, la bonne allocation de l'épargne, le système de formation. J'indique la priorité majeure : la jeunesse avec l'Éducation comme levier. J'y consacrerai l'essentiel des marges de manœuvre dont nous pourrons disposer. J'affirme l'engagement de réduire les inégalités en matière de santé, de retraite, de logement. Ce que nous ne pouvons plus faire par la voie budgétaire, nous le faciliterons par des ressources venant de l'épargne ou par des incitations réglementaires. Nous avons un double devoir : fixer la stratégie à moyen terme mais aussi aller vite dans l'exécution. Tout ce que nous pouvons anticiper, accélérer, faciliter, sera un supplément de croissance. Je suis le candidat de l'alternative. L'alternative à un système déréglé, à une société dure, à une politique injuste, l'alternative à un pouvoir centralisé, concentré, connivent, pour ne pas dire confisqué.

Ce projet sera critiqué, moqué, dénigré. On le qualifiera de prudent ou d'irresponsable, c'est selon, de flou ou de fou. C'est l'antienne des conservateurs. Elle ne m'impressionne pas. Si je suis la cible de toutes les accusations, c'est bon signe. S'ils me jugeaient inoffensif, seraient-ils si acharnés ? S'ils n'avaient pas peur, seraient-ils si agressifs ? S'ils avaient la vérité pour eux, auraient-ils besoin de mentir ? La crainte les anime. La confiance me guide. Je ne redoute pas la confrontation. Toujours la droite nous dira illégitimes. Toujours elle a tenté de disqualifier, avant tout débat, les chefs de la gauche. Dès l'origine, on les disait sans expérience, ou bien archaïques ou encore ignorants. François Mitterrand, en son temps, avait essuyé les mêmes avanies. Onze fois ministre, incompétent en économie, lesté par son alliance avec les communistes. À côté, je suis un ange, et les écologistes de doux agneaux ! La droite, au fond d'elle-même, n'accepte jamais de laisser la place. Elle prend cela comme une anomalie, une incongruité, une « effraction ». Elle croit que le pouvoir lui revient de droit. Qu'elle est née pour commander. Pour diriger, pour présider. Quand bien même sa gestion l'accable, elle continuera à dénigrer. Rendez-vous compte, la gauche dans une Europe de droite ! Les socialistes dans un monde libéral. Et conduite par un homme sans expérience gouvernementale ! Impossible, vous dis-je. Eh bien je suis mon chemin, avec calme et ténacité. J'affirme mon projet en prévenant qu'il ne répondra pas à tout, qu'il ira à l'essentiel. Et qu'il sera strictement financé. Je fais confiance à la lucidité de mes concitoyens.

Il existe évidemment d'autres propositions. La campagne est l'occasion d'en discuter. Elles méritent d'être examinées. Je le fais franchement. Je crois à la controverse rationnelle. À la force du débat. À l'intelligence collective. Je demande qu'on réfléchisse aussi à la politique proposée par mes concurrents.

Le danger FN

La plus agressive et la plus redoutable, c'est celle de l'extrême droite. La gauche aurait grand tort de sous-estimer le danger représenté par le Front national. Une partie des classes populaires se sent si maltraitée qu'elle s'est vouée à l'extrémisme en désespoir de cause. Nous avons à cet égard une responsabilité. La gauche doit parler au peuple, ce que je m'efforce de faire. Mais la montée du Front national dérive d'un autre phénomène. En 2007, une partie de ses électeurs ont cru aux promesses de Nicolas Sarkozy, réduisant d'autant le score de Jean-Marie Le Pen. Ils lui ont assuré un score massif au premier tour, qui explique sa victoire d'alors. Ceux-là sont cruellement déçus. En cinq ans, nos conditions sociales se sont dégradées et l'insécurité a augmenté. Cette partie de la droite gonfle aujourd'hui les intentions de vote de la candidate, qui sont plus hautes qu'elles n'ont jamais été, à ce moment de la campagne, dans l'histoire du FN.

Ainsi les électeurs doivent-ils bien réfléchir. J'ai toujours dit, depuis que j'ai entamé ma longue route vers l'élection, que j'avais, non pas un, mais deux adversaires : Nicolas Sarkozy et Marine Le Pen. Dans cette période de crise, la tentation de l'extrémisme est forte. Marine Le Pen affirme que son parti a changé, sans jamais désavouer, d'ailleurs, une seule des positions scandaleuses prises auparavant par son père. Certes elle évite les dérapages racistes et antisémites qui étaient la marque de fabrique du fondateur du FN. Elle a gommé certains aspects les plus provocateurs de son programme, même s'ils transparaissent toujours en filigrane. Mais qu'en est-il sur le fond ? Sa politique d'immigration reste d'une dureté telle qu'elle est toujours contraire aux traditions républicaines de respect de l'autre. Elle prévoit toujours le rétablissement de la peine de mort, en contradiction avec les accords européens signés par la France depuis

François Mitterrand et avec une politique pénale civilisée. Elle défend toujours une conception ethnique, pour ne pas dire raciale, de l'identité française, qui la rattache directement aux courants de pensée de l'extrême droite de naguère, du début du siècle ou de l'entre-deux-guerres. Elle y ajoute désormais un discours nouveau qui n'est au fond que l'application d'un nationalisme rigide aux questions économiques. Or chacun peut voir que la rupture avec l'Europe, même si celle-ci nous a déçus, ferait beaucoup plus de mal que de bien. On peut décréter la sortie de l'euro, déchirer les traités, tourner le dos à l'œuvre de trois générations. Mais il n'en sortira qu'une France seule, encore plus affaiblie, qui devrait payer nettement plus cher son énergie, ses vêtements, ses ordinateurs et qui verrait sa dette soudain s'accroître de manière insupportable, sous l'effet d'une dévaluation que le FN lui-même évalue à près de 10 %.

Un élément mineur mais révélateur m'a frappé. Interrogée par un journaliste sur ses lectures, Marine Le Pen a livré en réponse le nom de son auteur de référence : Pierre Gaxotte. Un peu oublié aujourd'hui, il fut un important historien des années 1920 et 1930, doté d'un talent de plume et d'un esprit cultivé et caustique. Mais il était aussi un admirateur ébloui de Charles Maurras, dont il fut le secrétaire et le disciple inébranlable. Certes, Gaxotte évita de se compromettre avec la collaboration, ce qui est à porter à son crédit quand le journal qu'il avait dirigé, *Je suis partout*, se vautrait avec Brasillach dans une admiration veule pour l'hitlérisme. Mais il fut toute sa vie un contempteur sectaire de la République, un nationaliste de fer et l'avocat d'une vision raciale des nations. Ainsi tout semble changer et rien ne change. Le Front national, par l'intermédiaire de sa présidente, se réfère toujours, au fond des choses, à la vieille tradition de l'extrême droite, au rejet instinctif des valeurs de la République, de son histoire et de son héritage. Maurras, de manière à la fois logique et dangereuse, suscite même un regain d'intérêt dans certains milieux intellectuels proches du Front. Ainsi le même combat se poursuit, encore et toujours, contre la droite extrême, foyer de l'intolérance et de la xénophobie à peine déguisées. La gauche républicaine doit le savoir : face à un tel adversaire, la division serait mortelle. J'ai vécu de très près, et pour cause, le drame du 21 Avril, quand Lionel

Jospin fut éliminé, certes par nos erreurs, mais aussi par la dispersion de la gauche. Ceux qui ont dit à l'époque « plus jamais ça » doivent s'en souvenir aujourd'hui.

Le dilemme de l'autre gauche

Je ne sais si l'extrême gauche présentera plusieurs candidats. Mais Jean-Luc Mélenchon, par son style oratoire, la radicalité de son discours et une virulence parfois tonitruante, a réussi à fédérer un électorat. Je connais bien Jean-Luc, que j'ai rudoyé congrès après congrès au PS et réciproquement. Ce militant sincère goûtait avec délectation sa qualité de sénateur de la République, tout comme ce tribun de la radicalité n'a eu aucun mal à exercer avec compétence le ministère de l'Enseignement professionnel. Et il donnait fierté et encouragement aux professeurs de ces filières essentielles à la réussite du pays et à la promotion des enfants des familles les plus modestes. C'est un homme de conviction. Il a capté ce qui reste de l'ancienne force du Parti communiste. Il dépense sans compter une verve que nous savons grande, contre moi et contre les socialistes. Pour se distinguer, il avance des idées généreuses sur les salaires et une prodigalité dans la dépense publique. Mais, à l'écouter, nous porterions le prélèvement sur les entreprises à un niveau qui handicaperait la production et tournerait contre nous la grande majorité des électeurs. Nous dirions aussi adieu à toute perspective de remboursement de la dette, ce qui nous placerait alors sous la férule renforcée des marchés financiers, qu'il voue par ailleurs aux gémonies. Sait-il que les classes populaires sont à la fois dans la radicalité et la lucidité ?

La voix de Jean-Luc Mélenchon, celle d'une légitime indignation devant les cruautés du système, est utile. Mais lui-même, les militants qui le suivent, les électeurs qui l'approuvent, doivent réfléchir à cette leçon incontournable de l'Histoire : à tout vouloir tout de suite, il arrive qu'on n'obtienne rien ; et à revenir vers une gauche plus à gauche, on peut risquer de laisser la droite au pouvoir. L'unité est notre bien le plus précieux. Je ne lui demande pas de nous rejoindre. Il vient de nous quitter. Mais de permettre le changement, de ne décourager aucune bonne volonté et de prendre toute sa part. Ce qui ne veut pas dire sa participation au gouvernement le moment venu. Je me méfie de la culture des deux gauches. Je ne nie pas nos différences. Mais nous avons le devoir de nous rassembler, sans rien gommer, pour ne jamais laisser la droite ramasser la mise, à la fin de la partie.

Verts comme vertu ?

Eva Joly est une femme de caractère. Certains justiciables s'en souviennent encore. Elle a contribué à faire reculer la corruption qui mine certaines allées du pouvoir ou encombre les transactions commerciales à travers des intermédiaires, dont on connaît, depuis quelque temps, un peu mieux l'identité comme l'étendue de leur fortune. Elle est d'un bloc. C'est sans doute l'effet de sa conviction tout d'une pièce, qui la fait s'éloigner de ceux qui dévient de sa conception du monde. Elle paraît implacable dans la dénonciation des faiblesses humaines. J'ai parfois envie de plaider pour un peu d'indulgence. Non qu'il faille accommoder les principes mais parce que la politique est un compromis.

Ce qui me distingue d'elle, ce n'est pas le

souci de la planète. Je crois l'avoir aussi. C'est, osons le mot, une philosophie du progrès. Je n'ai pas fait mon deuil de la croissance si elle est respectueuse des hommes, comme de la nature. La décroissance me paraît, non pas une utopie – c'est la réalité d'aujourd'hui – mais une perspective qui ne peut rassembler quand il y a tant de besoins insatisfaits. De même, si je suis conscient de l'impérieuse mutation énergétique, de la lutte contre le réchauffement climatique, de l'indispensable sécurité de nos installations énergétiques, je considère que le nucléaire restera, au moins pour les vingt ans qui viennent, la source principale de notre production d'électricité. Et qu'une sortie du nucléaire en 2030, et même en 2040, est tout simplement impossible sauf à en payer un prix exorbitant ou à importer du charbon ou du gaz.

Je me méfie chez certains « ultras » de la dévotion à cette entité supérieure qu'est la Nature, qu'on finit par prendre fallacieusement comme une source de sagesse et de morale. Je le confesse : cette religiosité moderne heurte mon rationalisme et mon humanisme.

J'entends bien que l'ancienne conception du progrès a fait son temps. Je ne m'en remets pas à la toute-puissance de la science et de la technique pour écarter le malheur des temps et ouvrir la voie d'un avenir radieux. Il y a, dans l'ambition de l'homme à dompter l'environnement, une forme de présomption, qui nous a fait négliger les dégâts du productivisme, admettre trop facilement la pollution, l'insécurité sanitaire, l'agriculture intensive, les risques chimiques, le rejet de CO_2. Selon l'interrogation classique, nous voulions maîtriser la nature ; mais qui maîtrise la maîtrise ? Les socialistes ont depuis longtemps intégré à leur projet l'impératif de protection des équilibres naturels.

Pour autant, je crois toujours à la croissance. Une croissance vigilante, contrôlée, stimulée par le développement des énergies nouvelles, fondée sur un mode de vie moins gaspilleur, sur des techniques respectueuses des équilibres naturels, soucieuses de leur empreinte écologique, cohérentes avec la lutte nécessaire contre le réchauffement climatique. Mais une croissance tout de même. Car, sans elle, comment financer sérieusement la lutte contre la pauvreté et le combat pour une plus grande justice ? Par la redistribution draconienne des revenus ? Je ne me lancerai pas dans l'éradication de la richesse, pas plus que dans le passage aux trente-deux heures ! Dès lors, comment retrouver un niveau d'emploi acceptable, comment obtenir des hausses de pouvoir d'achat, comment assurer l'intégration des exclus de la société, sans accroissement des biens et des services que nous produisons ? Je souhaite gouverner avec les Verts. Les socialistes l'ont déjà fait pendant cinq années. À condition de faire du vert un levier de développement, un instrument de bien-être, un principe d'équilibre. L'écologie est la grande cause du XXIe siècle, elle est partie prenante de la politique de réduction des inégalités, de la démocratie participative et de la préservation des générations futures. C'est une alliance qui vaut la peine d'un accord, en oubliant l'accroc !

La solitude ambiguë

Reste François Bayrou, cet intrépide chevalier de la petite escouade centriste. C'est un admirateur d'Henri IV, ce qui prouve qu'il ne peut être entièrement mauvais. Suivez mon panache, dit-il. Mais c'est un panache gris. Son programme est un antiprogramme. Comme si ne rien promettre résumait une politique. En le lisant, je suis saisi par la peur du vide.

Certes il a désigné l'un des premiers le danger mortel de la dette, que je dénonce moi aussi depuis longtemps. Mais, pour le reste, quel brouillard ! Les bonnes intentions voisinent avec les généralités sympathiques. Il croit dégager certaines fenêtres sur l'avenir. Ce sont bien souvent des portes entrouvertes, qu'il enfonce avec une énergie méritoire : le made in France en est le dernier avatar.

Arnaud Montebourg a discerné bien avant lui les excès du libre-échange, dont je tiens le plus grand compte. Nous avons tous dénoncé, à juste titre, les égarements du libéralisme ; il se contente, sur ce point, de hurler d'une voix respectable avec la meute tout en se méfiant de l'État et de l'intervention publique. On dira qu'il a porté en solitaire, avec témérité, la cause du centre. C'est bien signifier qu'il n'est pas de gauche. Même si c'est de ce côté-là qu'il tente d'aller chercher ses voix. Il a d'ailleurs fait toute la première partie de sa carrière à droite et dénonce sans cesse ce qu'il tient chez nous pour un excès dans la redistribution. Nous pouvons discuter avec lui. En démocratie, c'est bien le moins. Mais l'alternance, il s'y refuse.

Il se voit qualifié pour le second tour. Chacun est libre de croire en sa chance. La solitude n'est pas toujours preuve d'une capacité émérite à rassembler. Elle peut en revanche répandre la confusion. L'ambiguïté trop longtemps cultivée confine au calcul. En refusant de définir sa majorité, il n'en trouvera aucune. Je répondrai, en paraphrasant un dialoguiste célèbre, qu'un centriste assis entre deux chaises ira toujours moins loin qu'un socialiste qui marche. Les électeurs du changement se méfieront de cette ambivalence. Si l'on est de gauche, mieux vaut voter pour la gauche. Le raisonnement est plus simple et nous met à l'abri des mésaventures involontaires. C'est surtout la seule manière d'offrir au pays un choix clair dans la présidentielle. Un homme qui n'exclut jamais de gouverner avec la droite, qui reste muet sur ses alliances possibles, pourrait-il représenter l'alternative ? Le balancement circonspect n'est d'aucun secours.

Du pacte productif au rêve français

L'urgence, c'est le redressement financier. Un redressement qui ne viendra pas de l'austérité, car l'austérité conduit à plus d'austérité et aggrave la dette par l'étouffement de la croissance. Est-ce à dire, pour autant, qu'il faut s'affranchir de toute règle, de toute contrainte ? Non, évidemment. Le temps est fini depuis des lustres où la gauche pouvait faire l'impasse sur les réalités économiques. Nous avons gouverné, nous connaissons les réalités de la crise. La France est dans l'Europe, la France est dans la mondialisation, elle n'en sortira pas par un coup de baguette magique.

Faut-il nous en remettre à l'Europe ? Non plus. L'Europe des conservateurs nous promet un programme qui est un carcan pour les peuples. Nous renégocierons les traités, nous plaiderons avec force pour une autre politique européenne. Mais nous ne saurions décider sans nos partenaires. Cela peut prendre du temps.

Autrement dit, la France doit d'abord compter sur ses propres forces. La France se sauvera d'elle-même ! Elle doit rétablir ses finances sans dépendre d'un secours extérieur.

Je l'ai dit, la France est un grand pays. Elle a, en elle, les capacités de se relever. Elle peut surmonter la crise de la dette, si elle gère sérieusement ses finances.

Il faut d'abord un échéancier précis de désendettement. Il y a va de la confiance de millions d'épargnants qui ont prêté leurs économies à l'État français et qu'il n'est pas question de spolier. J'ai prévu, d'ores et déjà, de ramener le déficit public à moins de 3 % dès 2013. Nous tendrons ensuite à l'équilibre à la fin de mon mandat. Cet effort est déjà considérable. Promettre d'aller plus vite, c'est la certitude de ne jamais y parvenir. En parallèle, nous organiserons l'offensive, sans laquelle la production ne repartira pas. Nous développerons une stratégie d'investissement public dans la recherche, dans le savoir, dans la technologie. À dépenses constantes. C'est-à-dire par redéploiement de crédits. Je ne me berce pas d'illusions. Si les Français en décident, je prendrai les commandes dans un moment de crise persistant. Je dirai toujours la vérité. Je n'abuserai pas le peuple avec des promesses illusoires, avec des projets de dépense dont nous n'avons pas le premier euro.

Pour réduire les déficits dans la justice,

une réforme fiscale est nécessaire. Je l'engagerai dès le lendemain de mon élection. Élargissement de l'assiette de l'impôt sur le revenu, disparition des niches fiscales, meilleure progressivité, rationalisation et modernisation. Elle permettra de trouver les ressources nécessaires, en frappant enfin les revenus extravagants des privilégiés. Elle est à l'opposé de la politique du candidat sortant qui, après avoir creusé le déficit en allégeant l'impôt des riches, veut le combler en accroissant l'impôt des foyers modestes ! Cette philosophie nous ramène à l'Ancien Régime, quand le tiers état supportait seul la charge des dépenses royales, pour le plus grand bénéfice de l'aristocratie. Je refuse cette régression insensée. J'instaurerai en France la justice devant l'impôt.

Je ne serai pas le président qui viendra devant les Français six mois après son élection, pour leur annoncer que les caisses sont vides, que nous devons soudain changer de cap et renier nos promesses. Je veux gouverner dans la durée, sur la base de la vérité.

Avec la justice vient l'effort commun. Vous aurez raison de demander ce que la République peut faire pour vous. Mais vous auriez grand tort de ne pas vous demander, d'abord, ce que vous pouvez faire pour la République. Dire la vérité, quoi qu'il nous en coûte. Voilà ce que nous devons d'abord au peuple français, peuple adulte et lucide, voilà notre devoir sacré !

Le redressement financier dépend aussi du redressement économique. Et pour moi, l'économie, même si tous les secteurs comptent, c'est d'abord l'industrie. La France a connu depuis dix ans un déclin dramatique. L'Allemagne possède une industrie dont la contribution à la production nationale est double de la nôtre.

Pour accélérer cette reconquête, sans fermer l'économie, sans élever des barrières uniformes et illusoires, en cherchant une place plus forte dans la mondialisation, la gauche mettra fin à la naïveté dangereuse qui a présidé trop souvent à l'organisation de notre commerce extérieur. J'instaurerai ce que j'appelle le patriotisme industriel, qui n'est pas le refus de l'ouverture, mais le rappel à la réciprocité et à la règle du juste échange : les produits fabriqués sans le respect des normes sociales et environnementales et sur une concurrence déloyale ne peuvent entrer en Europe sans restrictions.

Ce patriotisme industriel n'est pas une simple défense. C'est une stratégie offensive.

Je lancerai une politique audacieuse, énergique, de réindustrialisation de la France. Par la réhabilitation du travail manuel, par la promotion du savoir technique, par l'apprentissage, par l'ouverture de l'école et de l'université sur l'industrie, par l'aide aux PME qui se développent, par l'instauration de nouveaux mécanismes de financement assis sur la Banque publique régionale d'investissement que je créerai dès mon élection.

Cet effort de renforcement économique doit s'appuyer sur la justice sociale. L'inégale répartition des revenus, les salaires et les avantages extravagants qu'on a vu distribuer au sommet de la société, la réforme inéquitable du régime de retraites en France, qui a frappé les travailleurs les plus modestes en priorité, la stagnation du pouvoir d'achat des classes moyennes et populaires, alors que celui de l'oligarchie ne cessait de croître, tout cela diffuse un sentiment d'injustice et provoque une forme de découragement. À quoi bon fournir des efforts si le jeu est truqué, si les cartes de la compétition sociale sont biseautées ? Je rétablirai dès mon élection la possibilité de partir en retraite à soixante ans pour ceux qui ont commencé à travailler jeunes et qui ont toutes leurs années de cotisation (41 puis 41,5 ans) ; je réunirai une grande conférence qui examinera avec les partenaires sociaux la question du pouvoir d'achat, celle de la protection sociale, de l'emploi et des conditions de travail. La France n'a rien à gagner à l'appauvrissement des Français. Une meilleure répartition des revenus favorisera la consommation et donc la croissance. Je placerai cet impératif en tête de ses préoccupations.

Le monde

La France n'est pas n'importe quel pays. Son influence tient moins à sa taille qu'à sa géographie, moins à sa population qu'à son histoire, moins à son PNB qu'à ses valeurs. Elle est attendue. Espérée. Elle joue un rôle original sur la scène internationale. Appuyée sur ses principes, elle porte une conception équilibrée du monde.

La République française rayonne bien au-delà de ses frontières. Certes, sa puissance est moindre, elle a définitivement répudié toute volonté de domination et elle se garde de toute nostalgie d'empire. Elle est suffisamment sûre d'elle-même pour admettre son passé. Suffisamment confiante dans sa mission pour défendre ses positions sans crainte d'être mal comprise. Suffisamment respectueuse des institutions internationales, et notamment de l'ONU, pour agir en faveur du maintien de la paix. La France a une relation particulière avec les pays du Sud, et les présidents successifs de la Ve République ont veillé à promouvoir, chacun à sa façon, un nouvel ordre international et une politique de développement. Aucun n'avait eu, saisi par une étrange réminiscence coloniale, la prétention de juger les autres peuples et de leur reprocher je ne sais quel refus d'entrer dans l'Histoire.

À ces conditions, le message de la République française restera universel. C'est au chef de l'État d'en être le porteur, tout en veillant à assurer, à chaque instant, la sécurité de notre pays.

Il n'est pas de politique étrangère qui n'assure, d'abord, la protection des intérêts vitaux de la nation. Chacun sait que la diplomatie et la politique de défense sont étroitement liées. Ma doctrine ne varie donc pas : la dissuasion nucléaire est indissociable de notre statut de puissance, comme l'est aussi notre participation au Conseil de sécurité des Nations unies, avec un droit de veto auquel je n'entends pas renoncer. Un responsable politique ne peut pas ignorer que l'Histoire est tragique. Aussi attaché qu'il soit à la paix, il ne saurait tabler sur l'apaisement spontané des conflits qui traversent le monde d'aujourd'hui. Il ne saurait encore moins prétendre anticiper ce que sera l'état de la planète dans trente ans. Or c'est sur cette période de temps que se prévoit, se planifie, s'organise, une politique de défense. Les investissements réalisés aujourd'hui valent pour plusieurs décennies. Dans ces conditions, nous devons parer à toute menace, présente ou future, sur notre existence, notre indépendance et nos intérêts essentiels.

Rien ne laisse présager aujourd'hui que le temps de la dissuasion nucléaire serait dépassé. De nouvelles puissances atomiques sont apparues ces dernières années ; d'autres sont en passe d'émerger. Même dans une Europe unie, même au sein d'un système d'alliances solide, rien ne permet d'écarter toute perspective de conflit. De nombreux pays arment ou réarment ; nous ne pouvons pas baisser la garde. Notre effort pour la paix et pour le désarmement ne peut se séparer de notre volonté farouche de maintenir les conditions matérielles de notre liberté.

Je m'inscrirai donc, si je suis élu, dans la continuité de Pierre Mendès France, qui décida la fabrication d'une arme nucléaire, de Charles de Gaulle, qui mit au point notre première force de dissuasion, de François Mitterrand, qui veilla sur sa capacité opérationnelle et montra sa détermination en ne reculant pas quand les SS20 soviétiques de l'Est menaçaient les démocraties de l'Ouest. Je maintiendrai une stratégie qui n'est ni offensive ni défensive, mais qui a pour rôle de dissuader tout agresseur éventuel et donc de préserver la paix. Je maintiendrai les deux composantes de notre force nucléaire, ses sous-marins et ses avions. Je poursuivrai le développement et la modernisation de notre force océanique, avec les sous-marins de nouvelle génération, de type *Le Terrible*. Je maintiendrai la composante aéroportée de notre défense, qui offre au décideur politique, c'est-à-dire au président de la République, les alternatives et les complémentarités qui permettent de répondre à des menaces en constante évolution. L'armée de l'air française dispose avec le Rafale équipé du missile ASMP-A de l'un des meilleurs outils de défense au monde. Depuis 2010, la force nucléaire aéroportée est opérationnelle sur le porte-avions *Charles-de-Gaulle*. Ces composantes, sous-marine et aérienne, seront confortées.

La possession de l'arme atomique impose à la France des obligations particulières. Je les assumerai. Le gouvernement favorisera toutes les initiatives destinées à réduire de manière équilibrée les armements nucléaires dans le monde. Il ne relâchera pas non plus sa vigilance pour résoudre, avec nos partenaires, les crises de prolifération en Iran ou en Corée du Nord. Je veux contribuer à ce que le droit, les traités et les décisions du Conseil de sécurité soient respectés.

Il s'agit, ensuite, de l'Europe. François Mitterrand l'a dit : La France est notre patrie, l'Europe est notre avenir. Mais, cet avenir, il faut bien le reconnaître, s'est singulièrement brouillé. L'Europe devait protéger les peuples, promouvoir l'économie, organiser la marche en avant des nations qui la composent. Elle s'est affaiblie dans l'impéritie politique, la stagnation économique et la lourdeur de ses procédures. L'élargissement était un devoir : il nous a permis d'acquitter notre dette historique. Mais il a changé le projet d'Europe puissance en Union de marché.

La construction européenne doit prendre un cours nouveau. Ou alors c'est la crise financière qui emportera tout sur son passage. Mais cette relance doit se faire avec des méthodes nouvelles, selon une ligne cohérente et non par les à-coups d'un activisme brouillon. Deux cercles concentriques seront distingués par la France si elle me porte à sa tête. Les pays fondateurs, en premier lieu, autour de la France et de l'Allemagne, qui devront définir les tâches de l'avenir et conduire la marche ; l'ensemble des pays adhérents, ensuite, qui participent selon leur choix à la politique commune.

La France le dira avec force : sans un groupe actif et soudé au cœur de la construction, l'Europe stagnera. Ce sera la mission de notre pays, la main dans la main avec l'Allemagne. Mais une main ferme car l'Allemagne est notre partenaire naturel depuis que nos deux peuples ont décidé de mettre fin à une guerre séculaire, pour marcher côte à côte. Nous devons redéfinir ensemble notre projet commun. Cinquante ans après le traité de l'Élysée de 1963.

La France, c'est aussi la Méditerranée, la mer qui réunit les civilisations mais qui relie les conflits, et notamment celui du Proche-Orient, qui reste une plaie ouverte qui nous rapproche de ses révolutions arabes. Après la joie initiale vient le temps des incertitudes. Dans cette passe délicate, où le Printemps arabe voit son ciel d'hiver se couvrir, l'appui de la France ne fera pas défaut aux démocrates de Tunisie, de Libye et d'Égypte. La France sera là où elle est attendue : du côté de la liberté. De la même manière, elle déploiera tous ses efforts pour aboutir à un accord de paix entre Israël et les Palestiniens, qui repose sur les bases bien connues, telles que les ont définies les « paramètres Clinton » : deux États aux frontières sûres et reconnues, un compromis territorial équitable, un statut partagé pour Jérusalem. La France, avec ses partenaires européens, mettra tout en œuvre pour parvenir à une solution négociée, faute de quoi ce conflit plus que cinquantenaire continuera de créer dans la région un dangereux foyer de déstabilisation.

Notre République mènera également, c'est son honneur comme son intérêt, une nouvelle politique à l'égard de l'Afrique. Ce continent est en passe de jouer un rôle décisif. La France répudiera sans regret les miasmes de ce qu'on appelle la Françafrique, qui n'est que l'autre nom de l'humiliation des Africains, de la prévarication et de la corruption politique. Elle jouera la carte du codéveloppement, comme le commandent avec autant de force le cœur et la raison. Il n'est d'autre solution, à long terme, pour résoudre d'un seul mouvement nos problèmes d'immigration et le rééquilibrage de notre commerce extérieur.

La République française, enfin, s'emploiera à promouvoir au loin la stabilité. La guerre d'Afghanistan, juste à l'origine, destinée à punir un pouvoir obscurantiste et complice du terrorisme, témoignage, aussi, de notre solidarité avec le peuple américain frappé au cœur, s'est prolongée au-delà de la mission initiale. Mais la poursuite de la présence occidentale, les États-Unis eux-mêmes le reconnaissent, attise la rébellion autant qu'elle permet de la combattre. En 2008, la mission a changé. Et j'ai condamné l'implication de la France, revenue dans l'organisation militaire intégrée de l'OTAN, dans une occupation qui n'était pas prévue à l'origine. Il est temps de mettre fin en bon ordre à cette intervention, et j'en prends ici l'engagement. La France, qui salue le dévouement et le courage de ses soldats, retirera avant la fin de l'année 2012 ses troupes d'Afghanistan.

La France, enfin, développera ses relations avec les pays émergents, la Chine, l'Inde ou le Brésil, qui seront les acteurs essentiels du monde de demain. Mais dans ses relations avec les pays du Sud, comme avec toutes les nations, elle le fera sans jamais perdre de vue l'objectif de promotion des droits de l'homme qu'elle s'est fixé, comme beaucoup d'autres nations démocratiques. Elle n'hésitera pas à dénoncer les situations insupportables faites ici et là aux défenseurs du pluralisme. Elle tiendra compte, dans l'organisation de ses échanges, des conditions concrètes d'application des principes de liberté publique et de respect des personnes dans les pays concernés et exercera sans cesse une pression politique, psychologique et diplomatique pour protéger les populations civiles aussi bien que les combattants de la liberté. Mais elle tentera en même temps, en tout lieu, de développer les échanges politiques, culturels et économiques, en faisant le pari que des relations ouvertes sont le meilleur moyen de faire évoluer les pays aux régimes plus autoritaires dans le sens de la démocratie. La France défend des principes qui sont les siens depuis la Révolution française. Elle le fait sans arrogance et sans naïveté, en se gardant de tout ce qui pourrait ressembler à une forme plus ou moins subtile de supériorité. C'est ainsi qu'elle portera sa langue partout dans le monde, comme une offre de culture, d'échange, de pluralité. Comme un don et un remerciement pour celles et ceux qui nous font l'honneur de la parler. C'est pourquoi je relancerai la politique de la francophonie.

Une politique étrangère conforme aux enjeux du siècle doit aussi faire face aux dangers qui menacent l'équilibre écologique de la planète. La France doit jouer son rôle dans les négociations internationales sur l'environnement. Dès le rendez-vous « Rio+20 », en juin prochain, je montrerai notre volonté d'aboutir enfin à des résultats concrets. Je pense à la réforme de l'OMC et à la création d'une organisation mondiale de l'environnement à partir de la myriade d'organismes qui existe déjà, en discussion depuis trop longtemps. « Notre devoir, qui est le même partout et pour tous, est de faire que la terre nourricière soit à la fois notre maison et notre jardin, notre abri et notre aliment. » Ce n'est pas moi qui le dis, c'est François Mitterrand. Je prolongerai avec vigueur cet impératif catégorique.

La Jeunesse

Je ne suis pas à l'âge où l'on se retourne
sur son parcours. Il est encore un peu tôt. Et
je suis davantage préoccupé à préparer l'avenir
qu'à évoquer le passé. Sauf s'il sert à comprendre les questions d'aujourd'hui. Il m'arrive
donc de jeter un coup d'œil en arrière. J'avais
vingt ans quand l'avenir semblait une page
blanche. Comme tous ceux qui sont nés dans
les années 1950, ou 1960, j'ai toujours en moi
le souvenir brûlant de ces grandes espérances,
celles des grandes causes et des épopées personnelles ou collectives, qui sont celles d'une
époque mais largement celles de la jeunesse.
Souvent je me pose cette question : finalement,
qu'avons-nous fait de nos rêves ? Se sont-ils
traduits en actes forts, en avancées dont nous

pouvons être fiers ? Ou bien se sont-ils usés au fil du temps ? Pouvons-nous encore les réaliser ? Et comment dresser le bilan d'une génération politique, qui a gouverné moins que la droite, certes, mais qui porte sa part de responsabilité ?

La génération sacrifiée

Je n'ai guère de goût pour les introspections ou les flagellations, même si j'ai adhéré au devoir d'inventaire que Lionel Jospin avait installé comme un préalable avant l'ouverture d'un nouveau cycle politique. Je mesure l'importance des grandes réformes que la gauche a accomplies pour notre pays. Je ne les rappellerai pas ici, mais en matière de libertés, de droits sociaux et de courage économique, elle a pris plus que sa part et je suis prêt à faire face aux accusations les plus caricaturales de la droite. La retraite à soixante ans décidée en 1982 était attendue par tant de travailleurs usés ayant commencé leur vie professionnelle à quatorze ans, et les 35 heures, même si elles ont été appliquées parfois avec trop de rigidité, ont permis, outre des créations d'emplois, une grande souplesse dans l'organisation du travail dont bien des entreprises n'ont pas eu à se plaindre. Mais, aujourd'hui, c'est moins des annonces nouvelles et indifférenciées qui sont les plus urgentes, ce n'est pas une réforme de plus qui est attendue ou une mesure symbolique qui est espérée, c'est un défi bien plus grand. C'est le sort que nous réservons à la génération qui vient. Je l'avoue, j'éprouve sur ce point un sentiment de colère. S'il est un devoir impérieux, c'est celui-là. Non ! Nous n'avons pas le droit de laisser les choses en l'état. Non ! Nous ne pouvons nous satisfaire de ce que nous avons fait. Non ! Nous ne pouvons pas léguer aux jeunes la condition qui est la leur aujourd'hui.

On me dit : « La jeunesse ? Mais tout le monde est d'accord ! Voilà bien un objectif consensuel, pour ne pas dire banal. On le poursuit d'ailleurs en permanence. On ne vous a pas attendus. » Ceux-là ne savent pas de quoi ils parlent. Ceux-là ne connaissent pas leur époque. Ceux-là ignorent les murs qui se sont érigés entre les âges. Nous étions plus pauvres dans les années 1960, les chiffres le montrent. Le monde était tout aussi dangereux qu'aujourd'hui, sinon plus en raison de la guerre froide et de la menace nucléaire. Les affrontements politiques étaient âpres, peut-être plus qu'aujourd'hui. Mais nous avions la foi des lendemains, comme la société tout entière, toutes opinions confondues. C'était le reflet de la mobilité sociale. Un jeune qui sortait du collège, du lycée ou de l'université trouvait aussitôt un emploi. Un emploi dur, souvent, et mal payé. Mais un emploi. Sa formation achevée, courte ou longue, bonne ou mauvaise, il entrait de plain-pied dans le monde du travail et commençait à diriger sa vie, à lui donner un sens. Il pouvait gagner son autonomie, espérer une promotion, se lancer à son compte, voyager pendant ses congés, commencer d'épargner pour ses vieux jours, acquérir un logement, fonder une famille. Quand je raconte cela à mes enfants, qui ont pourtant bénéficié des avantages que leur conférait la situation de leurs parents, ils croient entendre les récits d'un lointain eldorado. Et que dire des millions d'autres qui, en dépit de leurs mérites et de leurs diplômes, ont dû attendre des années avant de décrocher une situation stable ? Et de ceux qui, de stages en petits boulots, se résignent à la précarité, à l'intermittence, à la vie en suspension. Sans oublier ceux qui n'attendent plus rien, se désespèrent ou se réfugient dans les trafics ou les arrangements de toute nature. Bref, c'est une glissade générationnelle.

Le chômage frappe dès l'entrée dans la vie. Un jeune sur cinq vit au-dessous du seuil de pauvreté. La moitié des jeunes employés le sont en CDD. La moitié des pauvres en France ont moins de trente-cinq ans. Dans certains quartiers, le taux de chômage des moins de vingt-cinq ans dépasse les 40 % ! Les policiers le savent : quand la délinquance est une filière plus sûre que l'honnêteté, leur mission devient impossible. Partout, les jeunes sont devenus les variables d'ajustement des entreprises. À eux l'humiliation de ces stages qui s'enchaînent et les ramènent toujours au statut fragile de celui qui ne fait que passer, quand ils ne sont pas employés dans des contrats aidés qui ne débouchent sur aucun poste et sur aucune aide. À eux la quête de ce Graal moderne, dont le simple énoncé devrait remplir de honte ceux qui les ont placés dans cette situation : le CDI ! Jamais aucune génération n'a fait autant d'études. Jamais les CV qu'elle présente à tout bout de champ n'ont été si riches en diplômes et en expériences. Jamais une génération n'a rencontré autant de difficultés à débuter dans la vie. Deux ans, trois ans, cinq ans de galère, de formation en stage, de stage en formation, de formation en chômage : c'est le sort commun. Toute la vie s'en ressent, toute la carrière en pâtit, qui commence beaucoup plus tard et s'en trouve plus hachée et plus décevante. L'emploi est difficile à trouver et difficile à garder. Les jeunes sont les derniers entrés et les premiers partis. Économiquement, ils sont un flux. La famille passe après, les enfants viennent plus tard et l'on a du mal à les élever correctement quand le revenu est mal assuré. Il faut compter sur les parents, solliciter ses amis, chercher les plans les moins chers, devenir un champion de la débrouille, vivre quotidiennement ces petites humiliations que la société réserve à ceux qui ne sont pas encore établis. Alors qu'on ne cesse, dans les médias et la publicité, d'exalter et de flatter la jeunesse, les jeunes sont sacrifiés.

Le dernier mot est-il dit ? La fatalité sociale a-t-elle rendu son verdict ? La loi des âges s'est-elle inversée ? De toutes mes forces, je me refuse à le croire. Nous avons un devoir sacré à l'égard de ceux qui nous suivent et que nous n'avons pas le droit de conduire dans une impasse. C'est pourquoi, en toute conscience, j'ai placé dans cette campagne la jeunesse en tête de mes priorités. Tout gouvernement qui se respecte doit faire de même. Nous pouvons agir. Les résultats seront peut-être lents, les améliorations progressives. Raison de plus pour commencer maintenant. Cet objectif, au demeurant, dépasse évidemment une classe d'âge. Sa promotion sera la condition de notre propre réussite. Je ne parle pas seulement du paiement des retraites, qui a son importance. Mais de notre capacité à renouveler les idées, à susciter les initiatives, à développer les nouvelles technologies, à enrichir les savoir-faire. La France est le pays le plus jeune d'Europe, celui qui assure naturellement son renouvellement, celui qui sera le plus peuplé de notre continent dans quinze ou vingt ans. Ainsi la jeunesse n'est pas un coût mais un investissement. Elle n'est pas une charge, mais une chance.

Tout commence par la petite enfance. Je constate qu'aujourd'hui seulement 13,6 % des moins de trois ans sont accueillis à l'école. J'ai vu, lors de mes rencontres avec les citoyens, ce que cette situation représente pour beaucoup de familles, qui sont parfois obligées de renoncer au travail de l'un des conjoints ou doivent compter sur l'aide des amis ou des grands-parents. Le droit des femmes à travailler – ce sont elles qui assument le plus souvent ces difficultés – s'en trouve vidé de sa substance. Je propose un service public de la petite enfance conjuguant les places d'accueil en crèche avec le réseau des assistantes maternelles dans le cadre d'un contrat entre l'État, les caisses d'allocations familiales et les collectivités locales. Ensuite l'école. J'insiste sur le primaire, où tant de choses se jouent. L'idée est de garantir l'acquisition d'un socle commun de savoirs qui donnera à chacun l'outil de son indépendance future. J'y ajoute un système d'orientation personnalisé tout au long du cursus scolaire. Je ferai de la lutte contre l'échec scolaire une grande cause. Ceux qui se retrouveront dans l'impossibilité d'acquérir les connaissances minimales seront épaulés, un par un, surtout s'ils sont déscolarisés, pour les accompagner vers la réussite, pour faire en sorte que leur itinéraire scolaire ne soit pas cette course déprimante parsemée d'échecs et d'humiliations. Quelque 150 000 jeunes sortent aujourd'hui de l'école sans aucune qualification ! Ceux-là relèveront d'un nouveau service civique, avec un volet formation.

Enfin il y a l'enseignement supérieur, le

grand étalon de la démocratisation. Depuis dix ans, la part des enfants d'ouvriers s'est réduite à l'université. Combien de départs précipités au cours des premières années se soldent par l'amertume et d'efforts financiers dispensés en vain par les familles ? Je propose de créer des filières de formation, après le premier cycle, plus professionnalisées, capables de procurer un diplôme ouvert directement sur l'emploi. L'autonomie des universités fut une des rares réformes utiles menées par Nicolas Sarkozy. Je l'écris sans ambages. Cependant elle ne doit pas se concevoir comme une compétition entre établissements, mais comme une organisation concertée, mieux adaptée aux besoins de l'économie, à l'échelon des régions, des villes ou des départements. Je donnerai une plus large place à l'alternance. Je ne parle pas seulement de l'apprentissage, dont le gouvernement a laissé penser qu'il était pour lui l'unique solution offerte à tous les jeunes de France. J'évoque ceux qui, dans leur parcours universitaire, doivent avoir une expérience professionnelle rémunérée, sans que la recherche d'un stage finisse par devenir aussi difficile que celle d'un emploi.

Je complète ce dispositif par le contrat de

génération, dont j'ai fait un élément nouveau dans cette campagne. Il ne constitue pas un énième dispositif jeunes qui chasserait d'autres catégories. Je m'assurerai aussi qu'il ne débouche pas sur cet effet d'aubaine dont m'a parlé Martine Aubry pendant la primaire. Il est simple : un employeur qui accepte de garder un senior le temps nécessaire pour qu'il puisse accéder à une retraite digne et qui en même temps embauche un jeune de moins de vingt-cinq ans bénéficiera d'une exonération totale de cotisations sociales, sur ces deux emplois, pendant cinq ans. Le senior transmet son expérience au jeune et ils contribuent ensemble au développement de l'entreprise et du pays. L'ensemble sera financé par la réaffectation des exonérations sociales existantes. Voilà une belle idée ! Finis, les systèmes particuliers, les niches sociales, les primes, les avantages, les dérogations. Tous unis, seniors et jeunes, dans l'emploi retrouvé !

Enfin il y a l'autonomie des jeunes, ce droit fondamental à pouvoir s'accomplir soi-même, connaître enfin une indépendance. Je développerai l'allocation d'études pour ceux qui suivent un parcours de formation, sous condition de revenu et en échange d'une contribution du jeune à la vie collective. Aucune prestation sans contrepartie, à chaque aide de l'État un retour du citoyen.

Recouvrer l'espérance

Ainsi je m'engage solennellement devant le pays. Les cinq ans qui viennent seront dédiés au redressement, à la justice et à la jeunesse : redonner l'espoir à toute une génération, que nous laissons aujourd'hui, si longtemps, hors les murs. Il n'est pas de perspective pour un pays comme le nôtre sans une jeunesse réconfortée et mobilisée. Il n'est de satisfaction pour aucune génération si la plus jeune est tenue en lisière, ostracisée et délaissée, sauf une minorité d'entre elle toujours plus étroite ! Il n'est pas d'équilibre social si la première expérience des Français dans la vie est celle de la frustration, du ressentiment, de l'amertume. La chose vaut pour les quartiers difficiles, dont les maux découlent pour la plupart de la situation faite aux plus jeunes de leurs habitants, qui en plus de tout subissent les discriminations. Elle vaut pour la société tout entière, qui ne peut se satisfaire de voir les priorités de fait, au-delà des bonnes paroles, favoriser ceux qui sont déjà établis, ou bien toute la sollicitude sociale et les dépenses publiques conforter – et tant mieux – les plus âgés de nos concitoyens. S'il est une mission décisive, s'il est une tâche présidentielle, s'il est un sens à l'action collective, c'est de rendre un avenir à cette génération qui en est tellement privée. Et s'il est une ambition sur laquelle je souhaite être jugé, à la fin de mon quinquennat, ce sera celle-là. Changer le destin donné aux enfants. Changer leur vie.

Le changement, c'est maintenant

Chaque élection présidentielle est présentée depuis 1965 comme décisive. Sans doute ! Aucune ne fut anodine ou banale. Chaque scrutin se situa dans un contexte jugé majeur par les contemporains, a fortiori par les protagonistes, et encore davantage par le vainqueur.

Mais qui niera le caractère exceptionnel de la situation de 2012 ? Une crise, et pas n'importe laquelle, au cœur de l'Europe, mine sa monnaie et menace son unité. Un bouleversement géopolitique au sud de la Méditerranée élimine des dictatures corrompues mais installe de nouvelles équipes dont on ne sait si elles préparent l'entrée en démocratie ou en théocratie.

La mondialisation déplace le cœur de la dynamique, de l'innovation et de la puissance des grands nombres vers l'Asie. Enfin notre pays serait devenu, à en croire des enquêtes d'opinion, l'un des plus pessimistes du monde. Je me méfie de ces comparaisons. Elles n'ont d'ailleurs guère de sens, pour une nation comme la nôtre qui veut toujours faire exception. Mais la France traverse l'une des plus grandes épreuves de l'après-guerre. Au chômage record s'ajoutent des déficits considérables, une dette publique historique, une désindustrialisation continue, une perte de compétitivité et une croissance zéro ! Ce serait déjà très grave si les inégalités ne s'étaient creusées dans la répartition des revenus comme dans l'accès aux soins ou à la retraite. Et si la dislocation territoriale n'avait produit une destructuration sociale. Et si les violences aux personnes n'avaient jamais été aussi élevées, aggravant même le sentiment général d'insécurité et d'impuissance !

Ainsi une nouvelle fois, la gauche doit répondre à la grande question que lui pose l'Histoire. Peut-elle agir ? Changer cette société injuste, inégale et déchirée ? Laisser la France, notre chère France, qui a si souvent pris la tête des nations et du progrès, en proie au doute fébrile et à la défiance politique ?

Qu'est-ce que la gauche, finalement, sinon le refus des fatalités ? Qu'est-ce que la gauche, sinon l'égalité restaurée, la raison remise à l'honneur, l'accomplissement de l'individu responsable ? Qu'est-ce que la gauche, finalement, sinon la promesse républicaine enfin tenue ? Sinon la confiance dans le progrès ? Et la priorité donnée aux générations futures ? Tel est le rêve français. Il ne s'est pas éteint. Il est la condition de la sortie de crise.

Je veux que notre pays, au terme de l'effort commun, redevienne une référence pour les nations. Je veux restaurer une République qui ne laisse personne de côté et emmène le pays vers un destin commun. Une République qui encouragera le mérite et le travail, la réussite, qui combattra les méfaits d'une mondialisation sans règle. Une République qui respectera la planète et donc ceux qui y vivent, et surtout y vivront après nous. Une République qui respectera les citoyens sans distinction, leur donnera fierté et considération et refusera qu'un des siens soit oublié ou relégué. Une République du XXIe siècle.

Je veux une présidence exemplaire pour une France réconciliée. Je vous donne rendez-vous pour cette campagne décisive, où j'aurai besoin de chacun d'entre vous, de votre temps, de votre enthousiasme et de votre confiance. Je vous donne rendez-vous le 22 avril et le 6 mai. Le changement, c'est maintenant.

Table

Être soi-même 7

La France 39

La République 67

L'Europe 91

Présider 103

L'alternative.......................... 119

Le monde 141

La Jeunesse 151

Le changement, c'est maintenant........ 163

*Cet ouvrage a été composé et mis en pages
par ÉTIANNE COMPOSITION
à Montrouge.*

Cet ouvrage a été imprimé
en février 2012 par

FIRMIN-DIDOT

27650 Mesnil-sur-l'Estrée
N° d'édition : 52360/01
N° d'impression : 109824
Dépôt légal : février 2012

Imprimé en France